MARILENA CHAUI

A ideologia da competência

MARILENA CHAUI

A ideologia da competência

ESCRITOS DE MARILENA CHAUI
Volume 3

ORGANIZADOR
André Rocha

2ª reimpressão

autêntica

ORGANIZADORES DA COLEÇÃO ESCRITOS DE MARILENA CHAUI
André Rocha
Éricka Marie Itokazu
Homero Santiago

EDITORA RESPONSÁVEL
Rejane Dias

EDITORA ASSISTENTE
Cecília Martins

REVISÃO
Aline Sobreira
Cecília Martins
Dila Bragança de Mendonça
Lira Córdova

PROJETO GRÁFICO DE CAPA
Diogo Droschi

DIAGRAMAÇÃO
Conrado Esteves

Dados Internacionais de Catalogação na Publicação (CIP)
(Câmara Brasileira do Livro, SP, Brasil)

Chaui, Marilena
A ideologia da competência / Marilena Chaui ; organizador André Rocha. 1. ed. ; 2. reimp. -- Belo Horizonte : Autêntica; São Paulo: Editora Fundação Perseu Abramo, 2021. (Escritos de Marilena Chaui, 3)

Bibliografia
ISBN 978-85-8217-131-8 (Autêntica Editora)
ISBN 978-85-7643-157-2 (Editora Fundação Perseu Abramo)

1. Ideologia 2. Ideologia - História I. Rocha, André. II. Título.

13-04511 CDD-306.4

Índices para catálogo sistemático:
1. Ideologia : Sociologia 306.4

Belo Horizonte
Rua Carlos Turner, 420
Silveira . 31140-520
Belo Horizonte . MG
Tel.: (55 31) 3465 4500

São Paulo
Av. Paulista, 2.073, Conjunto Nacional,
Horsa I. Sala 309 . Cerqueira César
01311-940 . São Paulo . SP
Tel.: (55 11) 3034 4468

www.grupoautentica.com.br
SAC: atendimentoleitor@grupoautentica.com.br

EDITORA FUNDAÇÃO PERSEU ABRAMO
Rua Francisco Cruz, 244 . Vila Mariana
CEP 04117-091 . São Paulo . SP
Correio eletrônico: editora@fpabramo.org.br

Sumário

Apresentação

André Rocha[1]

Este volume reúne textos em que Marilena Chaui constrói a crítica da ideologia da competência. Pela crítica percebemos como o autoritarismo brasileiro se "modernizou" nas últimas décadas e se encarnou nos administradores que se apresentam como "políticos" competentes a pregar choques e choques de gestão. A ideologia da competência teve origem e disseminação internacional, mas foi adaptada diferentemente pelos enclaves nacionais do capital financeiro. No caso do Brasil, ela tornou-se a mais nova manifestação ideológica do vetusto autoritarismo brasileiro.

Não é por acaso que o ensaio "Ideologia da competência" abre e dá nome a este volume. Publicado originalmente na obra *O que é ideologia?*, em 1981, ele é a matriz dialética deste livro, na medida em que investiga a história da ideologia burguesa e abre a interrogação sobre as peculiaridades do funcionamento da ideologia neste bloco histórico de hegemonia neoliberal. O ensaio interroga as transformações que a ideologia burguesa sofreu desde o século XIX, passando pela regulação fordista a partir de 1930 e, por fim, chegando à sua fase neoliberal. A ideologia da competência surge inicialmente no interior do fordismo, com a divisão entre gerência científica e trabalho especializado, entre competência dos administradores e incompetência dos trabalhadores,

[1] André Menezes Rocha é doutor em filosofia pela Universidade de São Paulo (USP), realiza pesquisas em ética e filosofia política sobre o tema da democracia.

que devem ser controlados e dirigidos pela gerência. Durante a gênese do novo bloco histórico pós-fordista, o neoliberalismo apropriou-se da ideologia da competência e a desenvolveu num outro sentido.

A interrogação sobre as peculiaridades do funcionamento da ideologia da competência no neoliberalismo concentra-se na análise de duas instituições determinadas: a *universidade* e a *indústria cultural*. Pelos ensaios, os leitores e as leitoras perceberão de que maneira a *tecnociência* mais avançada e a cultura de massas mais estúpida têm uma lógica comum que lhes é dada não apenas pelos interesses da classe dominante, que em âmbito internacional forçou as privatizações para controlar esses aparelhos de hegemonia nos enclaves nacionais, mas também pelo processo de fragmentação social que é próprio das décadas de "acumulação flexível".

Em "Ventos do progresso: a universidade administrada", publicado originalmente na década de 1990, Marilena Chaui analisa o sentido da reforma universitária feita à sombra do AI-5, isto é, analisa a reestruturação autoritária da universidade brasileira em função de três princípios: segurança nacional, integração nacional e desenvolvimento nacional, tais como foram concebidos pela cúpula tecnocrata da ditadura. A reforma universitária, como se sabe, ocorreu em conjunto com a desmontagem do sistema público de ensino para contemplar o *lobby* dos tubarões das instituições de ensino privado que apoiavam o regime. O desmonte da antiga universidade liberal e do sistema público de ensino encetou um processo de exclusão social que acirraria as desigualdades sociais nas décadas seguintes e prepararia o terreno para os neoliberais fazerem a sua tentativa de privatização completa da educação e da cultura. Qual o sentido da universidade administrada que resulta das reformas no período da ditadura? Uma universidade organizada segundo o modelo fordista, dirigida por administradores competentes que não são escolhidos pela comunidade universitária, mas designados por grupos econômicos e políticos no controle do Estado. A comunidade universitária, por sua vez, assim como os trabalhadores na indústria fordista, passa a ser controlada para executar as diretrizes de produção cultural definidas pelos administradores competentes. Uma universidade que não forma sujeitos reflexivos, capazes de exercer sua liberdade de pensamento e ação, mas mão de obra qualificada pela assimilação de conhecimentos técnicos a serem oferecidos no mercado de trabalho. A universidade passa a ser administrada para formar profissionais competentes e um exército de reserva de supostos incompetentes lutando pelo "reconhecimento" de suas competências. Mas o pano de fundo dessa instrumentalização do saber, no caso da universidade brasileira, não é senão a agonia da liberdade de pensamento e ação como definidoras da cidadania democrática no Brasil.

> Retomando meu ponto de partida, eu ousaria dizer que não somos produtores de cultura somente porque somos economicamente "dependentes" ou porque a tecnocracia devorou o humanismo, ou porque não dispomos de verbas suficientes para transmitir conhecimentos, mas sim porque a universidade está estruturada de tal forma que sua função seja: *dar a conhecer para que não se possa pensar*. Adquirir e reproduzir para não criar. Consumir, em lugar de realizar o trabalho da reflexão. Porque conhecemos para não pensar, tudo quanto atravessa as portas da universidade só tem direito à entrada e à permanência se for reduzido a um conhecimento, isto é, a uma representação controlada e manipulada intelectualmente. É preciso que o real se converta em coisa morta para adquirir cidadania universitária.[2]

Na medida em que é adaptada pela estrutura autoritária e rigidamente hierarquizada da sociedade brasileira, a ideologia da competência, tornando-se princípio de organização das universidades, não apenas justifica a estrutura social vigente, mas também contribui para reproduzi-la sem transformações de base. A reflexão sobre a infiltração da ideologia da competência na organização das escolas e universidades, tendo como pano de fundo o passivo histórico de autoritarismo da estrutura de classes da sociedade brasileira e as possibilidades de resistir para encetar a contrapelo a democratização social e política, encontra-se também no ensaio seguinte, "Ideologia neoliberal e universidade", uma conferência lida em 1997 na USP, no Anfiteatro da História, em seminário promovido pelo CENEDIC. Após a experiência do governo Collor e de três anos de governo FHC, tornava-se mais nítido o sentido antidemocrático do processo de infiltração do neoliberalismo no Estado e, através dos Ministérios do Planejamento e da Educação, nas universidades e escolas brasileiras. De fato, após a destruição da

[2] CHAUI, neste livro, p. 76.

escola pública, pouco a pouco se constatou que o vestibular passou a promover a seleção dos alunos das escolas privadas para a entrada nas universidades públicas. A partir dessa constatação, gradualmente revistas e jornais passaram a orquestrar uma campanha junto às classes médias para justificar a privatização das universidades públicas, pois, afinal, diziam os ideólogos mui preocupados com a questão social, os alunos das universidades públicas teriam condições econômicas de sobra para pagar mensalidades. A partir da análise de um editorial da *Folha de S.Paulo*, Marilena desmonta essa orquestração e demonstra os pressupostos históricos que a ideologia ocultava, isto é, o processo histórico de destruição da educação pública que se iniciara no interior da ditadura e que era levado adiante pelos governos neoliberais.

> Que pretendia a classe dominante ao desmontar um patrimônio público de alta qualidade? Que a escola de primeiro e segundo graus ficasse reduzida à tarefa de alfabetizar e treinar mão de obra barata para o mercado de trabalho. Isso que o editorial da *Folha de S.Paulo* chama de "avanço social das crianças pobres".
>
> Feita a proeza, a classe dominante aguardou o resultado esperado: os alunos do primeiro e segundo graus das escolas públicas, quando conseguem ir até o final desse ciclo, porque por suposto estariam "naturalmente" destinados à entrada imediata no mercado de trabalho, não devem dispor de condições para enfrentar os vestibulares das universidades públicas, pois não estão destinados a elas. A maioria deles é forçada ou a desistir da formação universitária ou a fazê-la em universidades particulares que, para lucrar com sua vinda, oferecem um ensino de baixíssima qualidade. Em contrapartida, os filhos da alta classe média e da burguesia, formados nas boas escolas particulares, tornam-se a principal clientela da universidade pública gratuita. E, agora, temos que ouvir essa mesma classe dominante pontificar sobre como baixar custos e "democratizar" essa universidade pública deformada e distorcida que nos impuseram goela abaixo. Que é proposto como remédio? Para "baixar os custos", privatizar a universidade pública, baixar o nível da graduação e realizar, para a universidade, como versão 1990, o que foi feito para o primeiro e o segundo graus na versão 1970.[3]

[3] CHAUI, neste livro, p. 100.

A reflexão de Marilena Chaui desmascara o discurso modernizador dos neoliberais que comandavam eufóricos os processos de privatização ao mostrar que, longe de promover a democratização da sociedade brasileira, não estavam senão acentuando sob vestes moderninhas a dominação tecnocrática autoritária que se iniciara com a "modernização conservadora" da ditadura. Como manifestação ideológica do autoritarismo brasileiro, a ideologia da competência dos modernos administradores neoliberais escondia, em verdade, um ataque feroz às universidades públicas e, em sentido mais amplo, às tentativas de democratização das relações sociais no interior da estrutura social autoritária do Brasil. O processo era internacional, certamente, vingava sob o signo do Consenso de Washington, e seus agentes nacionais não faziam nada além do dever de casa que lhes era prescrito por quem lhes financiava. Mas, no interior do passivo histórico de violência e autoritarismo da estrutura de classes da sociedade brasileira, o processo ganhava contornos particulares por acentuar a polarização entre carência e privilégio a partir da destruição das instituições públicas que poderiam mediatizar a criação de novos direitos pelos sujeitos sociais. Tão violenta e bem-sucedida foi inicialmente a operação dos agentes competentes em pleno auge do bloco histórico de hegemonia neoliberal que muitos, durante os governos FHC, imaginaram que tudo estava perdido e cederam ao imaginário fatalista da inevitabilidade do fim da história. Quem esteve no público acompanhando os discursos de Marilena Chaui naquela época há de se lembrar como ela insistia em afastar o imaginário fatalista e concentrar o pensamento e a ação na produção das possibilidades históricas de superação do neoliberalismo.

> Não tenho vocação apocalíptica. Esse quadro não pretende ser o retrato de uma realidade inelutável como um destino cego contra o qual nada se possa fazer. O que quis enfatizar é que, se não lutarmos contra o neoliberalismo, nossas tentativas para reconstruir a escola pública nos seus três graus estará prometida ao fracasso. O neoliberalismo não é uma lei natural nem uma fatalidade cósmica, nem muito menos o fim da história. Ele é a ideologia de uma forma histórica particular assumida pela acumulação do capital, portanto, algo que os homens fazem em condições determinadas, ainda que não o saibam, e que podem deixar de fazer

> se, tomando consciência delas, decidirem organizar-se contra elas. Walter Benjamin escreveu que era preciso narrar a história a contrapelo, narrando-a do ponto de vista dos vencidos porque a história dos vencedores é a barbárie. Temos simplesmente de ter a coragem de ficar na contracorrente e a contrapelo da vaga vitoriosa do neoliberalismo. Afinal, como dissera La Boétie, só há tirania onde houver servidão voluntária.[4]

Nas investigações sobre a história das universidades e escolas públicas brasileiras, Marilena Chaui interroga as instituições por sua relação com a estrutura de classes na sociedade civil e na sociedade política brasileira. Nos dois artigos seguintes, publicados em jornais no início da década de 1980, Chaui analisa a entrada do discurso competente na política e na cultura. Em "Contra o discurso competente", a filósofa analisa a cobertura midiática da morte de Elis Regina. Os jornais constroem a imagem de uma mulher incompetente que se rendeu às drogas e ocultam toda a história de luta cultural e política da cantora antes do golpe e durante o regime militar. Tudo se passa como se a incompetência de Elis fosse o signo da falência da geração que fez arte e política no Brasil na década de 1960. Marilena não deixa passar a instrumentalização ideológica da artista, desmonta o discurso competente dos jornais brasileiros e evidencia a contrapelo as razões do choro de Elis, de Marias e Clarices. Em "Contra o pacote competente", Marilena analisa o discurso economicista dos "políticos" e administradores competentes que passaram o *pacote econômico* em junho de 1983 sob pressão cerrada do FMI. O interesse do artigo não se encontra apenas na crítica pontual ao pacote econômico, que promovia, para tentar conter a inflação, cortes de gastos públicos e arrocho salarial, isto é, choque de gestão. O interesse histórico desse artigo encontra-se na análise da gênese histórica dos discursos dos políticos que operam como administradores neoliberais, isto é, na análise do uso da ideologia da competência pela classe política brasileira que governou durante o bloco histórico de hegemonia do neoliberalismo.

O grande ensaio "Simulacro e poder: uma análise da mídia", publicado em 2000 pela Fundação Perseu Abramo, consiste numa

[4] CHAUI, neste livro, p. 112-113.

análise minuciosa dos processos pelos quais o neoliberalismo, nas últimas décadas, logrou colonizar os desejos e a subjetividade mesma de telespectadores e internautas para estabelecer sua hegemonia em âmbito internacional. A análise da mídia opera simultaneamente com a infraestrutura e a superestrutura, com o registro econômico e o registro cultural do neoliberalismo.

> Em resumo, desintegração vertical da produção, tecnologias eletrônicas, diminuição dos estoques, velocidade na qualificação e desqualificação da mão de obra, aceleração do *turnover* da produção, do comércio e do consumo pelo desenvolvimento das técnicas de informação e distribuição, proliferação do setor de serviços, crescimento da economia informal e paralela, e novos meios para prover os serviços financeiros – desregulação econômica e formação de grandes conglomerados financeiros que formam um único mercado mundial com poder de coordenação financeira. A esse conjunto de condições materiais, precariamente esboçado aqui, corresponde um imaginário social que busca justificá-las (como racionais), legitimá-las (como corretas) e dissimulá-las enquanto formas contemporâneas da exploração e dominação. *Esse imaginário social é o neoliberalismo como ideologia da competência e cujo subproduto principal é o pós-modernismo*, que toma como o ser da realidade a fragmentação econômico-social e a compressão espaçotemporal gerada pelas novas tecnologias e pelo percurso do capital financeiro.[5]

A versão que aqui é publicada foi revista e ampliada pela autora. Marilena Chaui inclui análises mais detalhadas sobre os aparelhos digitais, a cultura cibernética e os processos sociais que resultaram da destruição sistemática da esfera pública e da transformação dos sujeitos sociais e políticos em consumidores de cultura cibernética. Entre as novas reflexões que a autora acrescentou ao texto original, os leitores e as leitoras encontrarão, por exemplo, considerações sobre a chamada "Primavera Árabe" e sobre as chamadas "manifestações" que ocorreram em junho de 2013 no Brasil.

Como em outros ensaios, Marilena Chaui interroga um processo internacional, o bloco histórico de hegemonia do neoliberalismo, mas se concentra na apreensão do modo como se realiza no

[5] CHAUI, neste livro, p. 92-93.

interior da estrutura social brasileira. No caso da análise da grade de programação das redes televisivas nacionais, por exemplo, ela mostra de que maneira os programas, ao reproduzir cenários da vida privada e diluir todas as discussões em declarações de gosto, forma sujeitos narcisistas que não conseguem exercer uma cidadania democrática e construir um espaço público de debates e ações políticas, pois estão condicionados pela cultura da grande mídia brasileira a avaliar tudo o que é público segundo os critérios da vida privada das classes senhoriais. O imaginário instituído pela grande mídia nacional não reflete a cultura nacional-popular, pois reflete e inculca a mentalidade senhorial das poucas famílias que detém o controle da indústria cultural no Brasil. Em âmbito internacional, o imaginário pós-moderno é o que circula nos aparelhos de produção e consumo da indústria cultural. A fragmentação das linguagens de programas televisivos, jornais e programas de computação, ao engendrar nas subjetividades a compressão espaço-temporal, produz a intimidação dos sujeitos-consumidores, que, absortos no narcisismo ou na depressão, confiam aos profissionais competentes que aparecem na mídia o poder de decidir sobre a política, a economia, a cultura, a sexualidade, a educação dos filhos, a vida profissional, o lazer, etc... Em outras palavras, sob a imagem da "sociedade de conhecimento" que viria para alargar a liberdade de pensamento dos indivíduos e fortalecer os processos de democratização nos âmbitos nacional e internacional, a indústria cultural contemporânea, dominada por um oligopólio de poucos consórcios internacionais, instaura um processo de controle nacional e internacional de internautas e telespectadores que, fascinados com o "mundo virtual", lutam por sua servidão como se estivessem lutando por sua liberdade.

O ensaio "Cibercultura e mundo virtual" aprofunda alguns tópicos de "Simulacro e poder". A partir da ontologia da carne de Merleau-Ponty, Marilena passa da investigação da subjetividade pós-moderna, formada pela indústria cultural, à interrogação das transformações no corpo próprio como sujeito da percepção. A mente moldada pela ideologia cibernética exprime um corpo moldado pelas novas máquinas, um corpo que percebe pela mediação dos aparelhos da indústria eletrônica, um corpo que assimila apetrechos eletrônicos como se fossem seus órgãos indispensáveis e que, numa palavra, tende a se transformar em *ciborgue* ou *híbrido biotrônico*. Para libertar-se desse perigoso sono dogmático, Marilena tem dito sem cessar, precisamos elaborar uma nova crítica, uma nova fenomenologia da percepção.

Publicamos aqui também a "Carta aos estudantes" que Marilena Chaui enviou para os membros do Grupo de Estudos Espinosanos da USP em 2005. A grande mídia brasileira, naquele momento, orquestrava o "golpe branco" contra o governo Lula, para impedir sua vitória nas eleições de 2006, através de bombas sensacionalistas diárias. Pretendia fazer as vezes do Poder Judiciário, publicando notícias que eram ao mesmo tempo acusações, processos judiciais e condenações. Instrumentalizava para servir ao golpe toda a parcela da esquerda que, por motivos diversos, tivesse se colocado na oposição ao governo Lula ou que simplesmente fizesse críticas construtivas. A grande mídia tentou instrumentalizar Marilena Chaui, e ela não apenas recusou a servidão voluntária, mas também denunciou publicamente, com muita liberdade, a operação antidemocrática da grande mídia. Marilena decidira não conceder entrevista a jornais, revistas e canais televisivos da grande mídia brasileira, conquanto concedesse a outros jornais e revistas. Essa decisão livre de uma cidadã contra o poderio da grande mídia foi ela mesma instrumentalizada como marketing político na campanha que foi chamada de "o silêncio dos intelectuais". Diante do bombardeio cotidiano, Marilena decidiu enviar a carta para seus alunos de graduação e pós-graduação através da lista de e-mails do GEE, e, algumas semanas depois, a carta apareceu publicada na *Folha de S.Paulo*. Afora o desrespeito de quem entregou ou vendeu a carta sem consultar a nossa professora, a publicação da carta na *Folha* foi também uma instrumentalização que ficou patente pelos comentários sarcásticos que apareceram em seguida nos textos de articulistas da grande mídia. A publicação da carta neste livro ganha outro relevo, pois ela é inserida no contexto da obra de pensamento que Marilena Chaui, desde o fim da década de 1970, isto é, ainda durante a ditadura, construiu para criticar a ideologia da competência no interior das universidades e da grande mídia brasileira. Os leitores e as leitoras poderão perceber, ao ler a carta aqui, que a coragem na defesa da própria liberdade contra o poderio da mídia antidemocrática é coerente com toda uma vida prática e teórica dedicada à luta contra o autoritarismo e à construção da democracia no Brasil.

A entrevista, concedida a uma equipe de jornalistas da revista *Caros Amigos*, consiste em exemplo. Publicada originalmente em 1999, ela foi chamada à época de "entrevista bombástica", porque nela Marilena expunha detalhadamente as razões de sua crítica à orientação neoliberal do governo de FHC. Mas é também uma entrevista com ternura, que se inicia por questões biográficas que permitem à entrevistada rememorar as origens e o sentido de seu engajamento. A entrevista registra um diálogo aberto que consiste numa ótima introdução à trajetória da vida e da obra de Marilena Chaui. Por essa razão, é ela que abrirá este livro.

Entrevista à *Caros Amigos*[1]

Entrevistadores: Marina Amaral (MA), Laís da Costa Manso (LM), José Arbex Júnior (JJ), Sérgio Pinto de Almeida (SA), Wagner Nabuco (WN), Francisco Alembert (FA).

MA: Costumamos começar a entrevista pedindo para a pessoa falar um pouco de si, de sua trajetória.

MC: Eu vim para a filosofia pelas razões que nos traziam a ela antes dos anos 1960 e nos fazem voltar a ela a partir dos anos 1980, depois dos intervalos dos anos 1960 e 1970, em que se vinha por razões claramente políticas. Ou seja, eu vim para a filosofia por questões existenciais, e particularmente por questões religiosas, uma formação religiosa cristã muito forte. Não vinda da minha família, uma família que não tinha esse traço, mas porque estudei em colégio de freiras durante quatro anos.

MA: Onde?

MC: Catanduva.

SA: A senhora é de que cidade?

MC: Nasci em São Paulo, morei dos 3 ao 9 anos em Pindorama, dos 9 aos 14 em Catanduva, e aos 15 vim para São Paulo. A grande

[1] Originalmente publicada em *Caros Amigos*, São Paulo, n. 9, p. 22-28, ago. 1999.

questão que se punha para mim, e que frequentemente se põe para um cristão, é a questão de Santo Agostinho, que é a de saber como um Deus onisciente cria um ser livre, sabendo, pela sua onisciência, que esse ser vai pecar. Ele pune esse ser que Ele sabe, desde sempre, que será pecador. Evidentemente Santo Agostinho resolve o problema, mas a solução agostiniana, a solução cristã, nunca me convenceu. E o meu problema era: como vou conciliar a onisciência divina e a liberdade humana, como juntar essas duas pontas, e juntar isso na figura de um Deus que é juiz? Mas tive ainda outro motivo: quando comecei a estudar filosofia no curso colegial,[2] tive um professor excepcional, João Villalobos, e o primeiro impacto para mim foi a descoberta do pensamento enquanto pensamento. No primeiro ano do colegial, ele deu um curso de lógica formal, portanto, na qual você não opera com conteúdos, opera exclusivamente com os procedimentos intelectuais do ato de pensar. E fiquei fascinada com a ideia de que você pudesse pensar sobre o próprio pensamento.

JJ: Isso em Catanduva ainda?

MC: Não, aqui em São Paulo, no curso colegial, no Colégio Estadual Presidente Roosevelt, o Roosevelt da Rua São Joaquim.

SA: Estamos falando de que ano, professora?

MC: Estamos falando de 1956 a 1959 (fiz no Roosevelt o último ano do curso ginasial e os três anos do curso colegial). Mas eu não tinha muita clareza do que eu queria fazer. Me lembro de que, às vésperas do vestibular, minha mãe estava passando roupa e teve uma crise, ela disse: "Eu não sei o que vou fazer com você, não sei o que vou fazer..." – porque eu queria fazer letras, direito, história, filosofia. E ela dizia: "Todas as pessoas se decidem, menos você". Contando essa história há pouco para o Raduan Nassar, que é muito amigo da família, ele disse: "A sua mãe é mesmo uma mulher excepcional, porque outra mãe estaria dizendo: 'Não arranja marido, não casa, não vai cuidar da casa...?'. E a preocupação era o

[2] O curso colegial tinha a duração de três anos e era a conclusão do curso secundário, que se iniciava com o curso ginasial, com duração de quatro anos. O total era de sete anos. (N.E.)

que você ia fazer na universidade" (*risos*). Até que finalmente, sob a pressão dela e do meu próprio problema existencial, eu disse: "Bom, então vou fazer filosofia".

MA: Sempre escola pública?

MC: Escola pública. Só para vocês terem ideia do que era a escola pública, no curso ginasial estudávamos, além de história geral e do Brasil, geografia geral e do Brasil, língua portuguesa, literatura portuguesa e literatura brasileira, também latim, inglês e francês. E depois, no curso colegial, se acrescentavam filosofia, física, química, história natural, espanhol e grego. Em história do Brasil, líamos Caio Prado Jr., em latim, Cícero e Virgílio, em grego, Homero, em francês, Balzac, Hugo, Stendhal, em inglês, Shakespeare, em filosofia, Platão, Descartes. E por aí vai.

JJ: A sua família não era rica?

MC: Não, minha mãe era professora primária, e meu pai, jornalista. Isso teve um peso grande, eram pessoas excepcionais, o clima normal da casa era o gosto pela literatura, pelo cinema, pelo teatro, pelas artes. De maneira tal que levei anos, precisei ficar adulta, para descobrir que não era assim em todo lugar, que na minha casa é que era assim.

FA: Como era o acesso à universidade nessa época?

MC: Você terminava o segundo grau e, a não ser para a faculdade de direito, a politécnica e a medicina – que tinham uma procura muito grande –, os alunos que vinham das escolas públicas faziam, durante o segundo semestre, o cursinho. Para todas as outras disciplinas ninguém fazia cursinho, não existia isso para os alunos de escola pública, só havia cursinho para os que vinham das escolas privadas.

FA: E aí era uma banca...

MC: Aí você era examinado por uma banca. No caso da filosofia, havia exame escrito e oral. Havia um exame de história da filosofia escrito e oral, de francês escrito e oral, de inglês escrito e oral, de língua e literatura portuguesa e brasileira escrito e oral. Os exames escritos eram todos dissertativos.

JJ: Quanto tempo durava cada exame oral para o candidato?

MC: O tempo do exame oral variava. Se você chegava e o professor, que já havia lido a sua prova escrita, percebia que você estava preparado, fazia uma pergunta e deixava você falar. Se percebia que você não estava muito preparado, na segunda pergunta te despachava. E aí, no exame oral de filosofia, fui examinada pelo professor Lívio Teixeira, e ele me perguntou por que eu tinha vindo fazer filosofia. Falei que era porque eu queria saber como conciliar a onisciência divina com a liberdade humana. E ele disse: "Mas a senhora acha que a filosofia vai ajudar a senhora a resolver esse problema?". E eu disse: "Ah, claro que sim". E ele: "A senhora está muito enganada, vai piorar o seu problema". Aí fui para casa e chorei (*risos*), porque eu pensei: "Falei bobagem pro professor, evidente que ele não vai deixar eu entrar" (*risos*). Bom, feitos os exames, as notas eram afixadas num mural. Vim com a minha mãe e disse: "Não vou olhar, vai ser um vexame, uma vergonha, a senhora olha". Minha mãe, muito penalizada, começou de baixo, foi subindo, e não tinha o meu nome. Quando chegou mais ou menos no meio, ela falou: "Coitada, não passou". E continuou. E eu tinha passado em primeiro lugar. Aí minha mãe queria me bater (*risos*). Ela disse: "O que você fez com a família nestes quinze dias, o estado em que ficamos por sua causa! Isso não se faz". Aí eu chorei loucamente porque tinha passado. E vim fazer o curso.

SA: Quem eram seus contemporâneos no exame?

MC: O Raduan Nassar, o Marcelo Dascal, o Rubens Rodrigues Torres e a turma do Roosevelt, formada pelo professor Villalobos: Ulisses Guariba, Heleni Guariba, Maria da Glória Silveira, Maria Helena Manzano, Regina Tiacci.

JJ: Daí que a senhora conhece o Raduan?

MC: Não, conheço o Raduan de Pindorama, minha mãe alfabetizou Raduan. Alfabetizou e preparou Raduan para entrar no ginásio, somos muito amigos. Tanto assim que esse último conto que ele escreveu, "Menina a caminho", é dedicado à minha mãe. Aquela Laura que está lá é minha mãe.

SA: O primeiro ano seu na universidade foi em...?

MC: 1959.

FA: Lá na Maria Antônia?

MC: Lá na Maria Antônia. E a Maria Antônia era uma coisa extraordinária, porque você tinha num prédio ciências humanas e letras, no prédio vizinho ciências naturais e exatas, do outro lado do pátio você tinha economia. E tudo isso se reunia no saguão da Maria Antônia e nos dois bares da Maria Antônia. Então, você fazia vida intelectual, vida cultural, discussão política, você cruzava com todos o tempo todo.

JJ: E a relação entre as pessoas, os alunos, era uma relação livre ou havia muita formalidade?

MC: A relação era formal com os professores. Nós os chamávamos de senhor/senhora e eles nos chamavam de senhor/senhora. Você falava muito pouco em aula, assistia à aula num silêncio respeitoso. E, quando falava, pedia licença e dizia: "Senhor professor" ou "Senhora professora". Aí ele respondia: "Não, minha senhora, parará parará", ou "Dona Fulana, senhor Fulano", era muito cerimonioso. Entre os alunos não.

MA: E já existia um clima literário, de namoros mais livres?

MC: Já, bastante. A Maria Antônia era um outro mundo. Então, foi nesse clima que aconteceu o instante espinosano. No segundo ano, fiz história da filosofia moderna e teoria do conhecimento. Esta era com o professor Cruz Costa, e a história da filosofia era com o professor Lívio Teixeira, que deu um curso sobre a *Ética* de Espinosa.

FA: Lógica era com Granger?

MC: Lógica era com o Granger e o Giannotti. Deixa eu contar uma coisa divertida sobre o Giannotti. Ele entrou na classe, éramos sete mulheres e um homem, olhou e disse: "O que as violetinhas estão fazendo aqui? Marido é lá nas letras". Os meus joelhos começaram a tremer debaixo da mesa, e tremeriam o ano inteirinho. Aí ele deu uma aula e não entendi uma palavra. Pensei: "Eu não vou entender nada". Estudei feito uma louca, sozinha, porque não entendia. Aí ele marcou seminários. Seminários eram o pavor de todo mundo. E não era assim como a gente faz hoje, forma grupos de estudos, você escolhe o tema, o professor oferece uma bibliografia. Não. O professor designava quem faria o seminário e qual o texto a ser analisado e em que dia. Para mim caíram algumas lições do *Curso de filosofia positiva* do Augusto Comte. No primeiro seminário do curso, uma menina começa a fazer, e estava nervosíssima, o Giannotti disse para ela: "Mas como você é burrinha".

MA: Que horror!

MC: Aí a menina simplesmente desmanchou, não conseguiu, foi uma tragédia. O seminário seguinte era o meu, os joelhos tremiam. Comecei o seminário, fui fazendo, num dado instante o Giannotti disse: "Que edição você está consultando?". Eu tremi mais ainda porque não sabia que havia edições diferentes. Aí eu disse: "Eu não sei, professor". E ele falou: "É uma edição curiosa, porque nela você lê de ponta-cabeça". Fiz o seminário até mais da metade lendo um livro de ponta-cabeça (*risos*). Não sei como li, mas li, tal era o pavor. Isso dá para vocês verem um pouco o que era um seminário.

JJ: Quanto a senhora tirou no seminário do Giannotti?

MC: Tirei nove.

FA: De ponta-cabeça é mais fácil (*risos*).

MC: Bom, aí o professor Lívio deu o curso sobre a *Ética* de Espinosa, e, quando chegou na última aula, eu estava completamente fascinada, tomada, e nesse clima do senhor/senhora e você não fala nada, do fundo da classe eu disse: "Professor, isso é o que eu procurei a vida inteira (*risos*). Não tem pecado, não tem culpa, não tem livre-arbítrio, não tem um Deus juiz, não tem uma onisciência que me governa de fora. Só tem felicidade e alegria, foi isso que eu procurei". Assim que acabei de falar, pensei: "Ih, que horror, não se fala uma coisa dessas numa classe". E de lá da cátedra ele disse para mim: "Dona Marilena, é a primeira vez que eu vejo amor intelectual em estado puro" (*risos*). Aí eu falei: "Bom, é com esse que eu vou". E por isso, depois de fazer um mestrado sobre Merleau-Ponty, fui estudar Espinosa no doutoramento. E também na tese de livre-docência. E até hoje (*risos*).

MA: Sua dedicação a esses assuntos acadêmicos era total ou se dispersava pelo interesse político, ou mesmo coisas da juventude?

MC: Era uma coisa dispersa, porque eu me casei aos 22 anos, tive meu primeiro filho aos 23, e a segunda aos 25. Quando tive meu primeiro filho, estava terminando a faculdade.

JJ: Isso era comum na época, moças se casavam?

MC: Durante o curso não era comum, você esperava terminar. A maioria que casava durante o curso desistia.

LM: Do marido ou do curso?

MC: Em geral, do curso. Só hoje é que você desiste do marido (*risos*). Naquela época, você desistia do curso. Eu tinha todos os meus interesses amorosos e familiares e eu pretendia ser professora no ensino médio (no correspondente ao antigo curso colegial). A minha direção rumo à vida acadêmica ocorreu por acaso. Quando fiquei grávida, achei que não tinha condição de fazer uma das disciplinas daquele ano (filosofia das ciências), então tranquei a matrícula e fui fazer no ano seguinte[3] (tanto assim que terminei o curso um ano depois de minhas colegas de turma). E foi o ano no qual foi criada a pós-graduação. Então, no exame final, o Giannotti reuniu um grupo e disse: "Foi criado o curso de pós-graduação...". Não fazíamos ideia do que fosse um curso de pós-graduação. "Vocês vão fazer o curso de pós-graduação e têm que fazer uma tese." Não sabíamos o que era uma tese. "E, para fazer uma tese, têm de escolher um orientador." Com essa enorme explicação do que era a pós-graduação e a tese, eu fui fazer, porque o professor mandou. Bento Prado foi meu orientador, e meu mestrado foi sobre Merleau-Ponty. E acabei ficando como professora universitária.

JJ: Quer dizer que o Giannotti foi uma personagem meio que decisiva na sua vida em certos aspectos?

MC: Foi uma personagem decisiva na vida de todos os meus contemporâneos, porque, como era muito empreendedor, tinha em vista organizar o Departamento de Filosofia, criar um corpo de professores estável, estabelecer um programa muito claro. E, na hora em que a reestruturação da faculdade ia começar (com o modelo de Darcy

[3] Os cursos eram anuais. Havia nove disciplinas, cursadas duas por ano, e, conforme o caso, cursava-se apenas uma. A escolha era do aluno.

Ribeiro ou a departamentalização, contra as cátedras vitalícias), e essa reestruturação ia passar pela aposentadoria dos professores catedráticos e pelas exigências de professores titulados, o Giannotti, que era doutor, se pôs a fazer a livre-docência, e o Bento Prado Jr., que tinha voltado da França e ia fazer o doutorado, recebeu uma ordem do Giannotti: "Você precisa fazer a livre-docência porque para ser um departamento precisamos de dois livres-docentes". Assim, o Bento não fez o doutorado, ele foi, aos 28 anos, diretamente para a livre-docência, e isso foi uma percepção muito clara que o Giannotti teve do que era necessário para estruturar um departamento nos moldes exigidos pela reforma universitária. Então o Giannotti marcou toda essa geração e a seguinte.

FA: É nesse momento que o marxismo entra na filosofia?

MC: É um pouco depois. Pra valer, como referência de análise da realidade brasileira, ele entra no Departamento de Filosofia – apesar do grupo de estudos do *Capital*[4] – a partir de 1964, ainda que, já antes disso, houvesse leitura de alguns dos textos de Marx na disciplina de sociologia, ministrada para os alunos de filosofia.

JJ: E qual foi a sua impressão sobre Marx?

MC: Fiquei fascinada, deslumbrada. Por quê? Eu tinha uma explicação do mundo que a religião tinha me dado, e, com todos os problemas que ela colocava, ela era a explicação totalizante que eu tinha para o sentido das coisas. Aí li Marx e descobri que o mundo era outra coisa. Marx foi para mim, na descoberta do mundo, o que foi Espinosa na descoberta do absoluto. É outra coisa. O meu primeiro fascínio foi descobrir e compreender o que é a materialidade do mundo, o que significam as relações sociais, o que é a luta de classes, o que é a ideologia e sua função de dominação, e como você pode explicar o mundo em que você está vivendo.

WN: E aí a senhora não teve nenhum impulso de ter uma participação mais efetiva?

[4] Foi um grupo de sociólogos, historiadores, filósofos, economistas, organizado na década de 1950, por Fernando Henrique Cardoso, José Arthur Giannotti, Fernando Novaes, Paul Singer, entre outros, para a leitura sistemática de *O capital*.

MC: Participar de um grupo político? Não. O primeiro efeito sobre mim foi muito engraçado, foi mais intelectualizado: passei a ver os filmes e ler os romances de outro jeito, via um filme marxistamente, lia um romance marxistamente. A impressão que eu tinha era que uma luz absolutamente fulgurante tinha baixado, e que o mundo tinha se tornado compreensível para mim. Então, tudo aquilo que eu via de uma maneira fragmentada começou a se conectar, e tudo fazia sentido. A realidade passou a fazer sentido.

FA: Quer dizer que essa percepção material ainda não estava no seu pensamento filosófico?

MC: Ainda não. Ela veio a partir de 1964.

JJ: Como foi 1964 na USP, qual foi o impacto?

MC: Em termos pessoais, a primeira coisa de que me lembro é: eu estava grávida, cheguei na Faculdade na tarde do dia 29 de março, estava aquele auê, todo mundo dizia: "É preciso ser janguista, não tem conversa, temos de ser janguistas, temos de acompanhar o Brizola, é por aí que a coisa vai". Estávamos em assembleia permanente, nos dias 30 e 31 de março, porque ter decidido apoiar como força social o Jango e o Brizola significava que tínhamos de nos organizar para saber como esse apoio ia ser dado. E na madrugada do 1° de abril chegou a notícia do golpe. Mas era coisa anunciada: a gente tinha visto a Marcha da Família com Deus e pela Liberdade, os estandartes da TFP[5] tremulando pela cidade...

WN: Numa reunião desse tipo, com as várias posições, todo mundo achou que não tinha jeito nesse momento...

MC: Todo mundo. Era uma posição unânime. E aí, junto com a notícia do golpe, veio a notícia de que a Maria Antônia ia ser ocupada – alguns diziam que pelo exército, outros diziam que pela polícia. Então nos organizamos para impedir a ocupação. E nos distribuímos por todos os prédios, e pelas portas e janelas. E ficamos na porta central, de braços dados, Florestan Fernandes, Antonio Candido, Mário Schemberg, Simão Mathias, Maria Isaura Queiroz, Fernando Henrique

[5] TFP: Tradição, Família e Propriedade. Organização católica de extrema-direita. (N.E.)

Cardoso, Eder Sader e vários outros professores e estudantes, e eu, com a minha barriga (*risos*). E a mulher do Eder, a Regina Sader, disse: "Marilena, é um absurdo você ficar aqui com esse parto iminente. Você vai embora". Quando me decidi a ir embora, a polícia entrou na Maria Antônia. Corri da Maria Antônia à Praça da República, onde eu pegava o ônibus para casa, com o barulho das botas atrás. Entrei no primeiro ônibus que apareceu e não me lembro muito bem onde fui parar antes de chegar em casa. A polícia ocupou a faculdade e interrogava os professores. Um coronel exigiu que o professor Cruz Costa cantasse o Hino Nacional, e ele disse: "Só se o coronel cantar comigo". O coronel desistiu, né? Logo a seguir começaram as fugas. É aquele período em que as casas dos principais professores foram invadidas. Um período em que se rasga a *Enciclopédia Britânica*, se põe na fogueira *O vermelho e o negro* (pois é claro que é comunista, não?)... todas as barbaridades que fizeram com o professor Isaías Raw... Enfim, esse primeiro período é um período de enorme silêncio, de muito temor, e da primeira partida, da primeira leva dos exilados.

JJ: As aulas são interrompidas?
MC: Tudo. Só foram retomadas no segundo semestre.

FA: Nesse período vocês se encontravam nas casas?
MC: Ainda era possível, porque a coisa dura vai acontecer em 1969, com o AI-5.[6] O período de 1964 a 1967 é duro para os militantes dos partidos e dos grupos clandestinos. É para eles que a coisa é pesada. Para os outros de esquerda, mas sem filiação em partido ou grupo, não era tão pesada. E para os outros em geral, a ditadura era ainda uma coisa difusa, as prisões eram temporárias, não havia notícia de tortura e ainda não havia propriamente censura porque a imprensa era toda favorável ao golpe. Me lembro, um pouco antes do golpe, da Marcha da Família, lá no centro da cidade, que era uma coisa de dar um medo, mas um medo...

JJ: Por quê?
MC: Porque você tinha a impressão de que era uma marcha hitlerista. Você tinha a sensação de que era o nazismo, por ser uma

[6] Ver nota sobre o AI-5 no ensaio "Ventos do progresso", neste volume. (N.E.)

coisa de massa. E o aspecto da cidade era tenebroso: a família rezando unida, os terços, as novenas em todas as casas, as casas enfeitadas com crucifixos, as janelas com estandartes...

SA: Que sentimentos a senhora teve então?
MC: De desolação.

SA: Mas havia uma reflexão sobre o Brasil?
MC: Começou então, e foi nessa hora que me aproximei de um grupo trotskista, a Polop (Política Operária).

JJ: Por que a senhora se sentiu atraída pelo trotskismo?
MC: O que aconteceu foi o seguinte: embora figuras como a do Caio Prado ou do Mário Schemberg me fizessem levar a sério o Partido Comunista, o stalinismo tornava impossível para mim um namoro qualquer com o partido. Era incompatível com aquilo que eu pensava do marxismo e da revolução. O trotskismo me parecia fiel ao marxismo e era a revolução permanente a caminho. Eu achava que o marxismo passava por ali, a revolução passava por ali, e não pelo Partido Comunista.

JJ: Aí a senhora foi para a França...
MC: Depois do mestrado fui contratada pelo nosso departamento, e tinha de fazer o que era o costume, isto é, completar a formação passando dois anos na França e preparar o doutorado.

SA: Em que ano estamos, professora?
MC: 1967. Em outubro de 1967 fui para o Auvergne, para a cidade de Clermont Ferrand, em cuja universidade trabalhei sob a orientação do professor Victor Goldschmidt (que havia orientado meus professores Osvaldo Porchat e Bento Prado). Ali o inverno dura seis meses e faz 16 abaixo de zero. E acontece que eu peguei Maio de 1968. Aí é outra história para contar.

MA: Como era Maio de 1968, era aquela atmosfera o tempo inteiro?
MC: Inteirinho, noite e dia. Não dá pra descrever, é uma experiência indescritível. Nas ruas, cartazes diziam "Não há o impossível", "É proibido proibir". Outro dia, numa retrospectiva que a televisão

francesa fez, eu chorava cataratas, era uma retrospectiva com os filmes Super 8 feitos na época, dura cinco horas. Assembleia por assembleia, passeata por passeata, barricada por barricada. E eu ficava esperando o instante em que ia me ver. Aí, meu Deus, não é possível, eu estava lá, estava lá!!! Vocês não imaginam o que é passar pela experiência da possibilidade revolucionária. É uma coisa, é uma coisa... Eu digo que todo mundo tem de viver uma grande paixão amorosa e ter uma experiência pela possibilidade da revolução. Sem essas duas coisas você não viveu uma vida completa. Tem de ter, porque o mundo se abre com todas as janelas a um futuro completamente nebuloso, e que está lá, você sabe que está lá, e você sabe que você vai para ele, que vai acontecer, que ele vai acontecer com as tuas mãos. Gente!

LM: A juventude de hoje está tão longe...

MC: Eles não fazem ideia do que seja. Aí começou o refluxo, e o primeiro estágio do refluxo era a perseguição aos estrangeiros, porque, é claro, para a repressão francesa, Cohn-Bendit começou tudo, e, portanto, os estrangeiros eram os responsáveis! Mas o período do refluxo lá não se compara com o que aconteceu aqui, porque lá havia a ideia de que você, apesar das traições, faria a revolução. Contra a velha universidade, surgiu a nova universidade, a Universidade de Vincennes. Fomos todos para Vincennes. Estavam lá Foucault, Deleuze, Lacan, Marcuse e tantos outros. Todo mundo no acontecimento. Mas aqui, aqui foi o terror de Estado contra os movimentos revolucionários. Veio o AI-5. Vieram as cassações de professores nas universidades. Então eu voltei. Nosso departamento estava dizimado. A faculdade estava dizimada.

MA: E voltou apavorada, não?

MC: Quando saí de Paris, a Albertina Costa, que tinha chegado lá no começo de 1969, me disse: "Está havendo revolução no Brasil, estamos num processo revolucionário". Falamos do Guevara, de tudo o que tinha de falar. Eu tinha recebido instruções do que deveria fazer ao chegar.

JJ: Instrução de quem, do grupo?

MC: É, do grupo de exilados. E vim sem a menor ideia, porque imaginava que o refluxo aqui era como o da França.

MA: Nos moldes franceses...

MC: É, à francesa. Sem AI-5, sem censura, sem tortura. Só para vocês terem ideia de como eu estava por fora, me deram material para entregar a determinadas pessoas e não tive dúvida, pus dentro de uma *Marie Claire* e vim. Desci no aeroporto, passei pela alfândega, com tudo debaixo do braço, dentro de uma *Marie Claire*!

JJ: Foi a inocência que salvou.

MC: Bom, aí cheguei e caí na real. Foi um susto. Além do susto, foi uma angústia, desespero, desolação, não só porque todo mundo sumia de uma hora para outra sem deixar rastro, mas também pelo fato de que os que tinham ido para a clandestinidade não podiam te dizer que estavam na clandestinidade, você não sabia onde estavam, se estavam presos, vivos, mortos, exilados. Eu fiquei sem lugar. Cheguei e, como tudo já era clandestino, não havia lugar para mim. Fiquei perdida, era o sentimento de estar em lugar nenhum.

MA: A faculdade...

MC: A faculdade funcionando precariamente. Então os poucos que sobraram se agarraram à faculdade, para impedir que ela terminasse. No caso do Departamento de Filosofia, Bento e Giannotti haviam sido cassados; Ruy Fausto se exilara; Osvaldo Porchat estava nos Estados Unidos; os professores franceses retornaram à França. Éramos uns seis. Foi o instante em que a professora Gilda Mello e Souza, que se tornara diretora do departamento, criou a revista do departamento (a revista *Discurso*), para afirmar que nós existíamos e resistíamos. Maria Sílvia Carvalho Franco fez a livre-docência, eu fiz o doutoramento, formamos oito mestres em um ano, pusemos o departamento para funcionar. Mas era terrível, porque você tinha os policiais nas salas de aula, tinha as escutas nas salas dos professores, você chegava e não sabia se ia voltar pra casa. Você nunca sabia se ia voltar pra casa, nunca, nunca. Você chegava na sala de aula e via alunos faltando e não sabia se tinham sido presos, se estavam mortos ou exilados. Você ia para o cafezinho dos professores e via que alguém estava faltando e não sabia por quê. A gente tinha medo da própria sombra.

SA: Era, literalmente, policial na sala de aula?

MC: Literalmente, e escuta na sala dos professores. E um grupo de militares à paisana na reitoria.

SA: A sua volta se deu quando?

MC: Em dezembro de 1969.

SA: Portanto, isso aí é 1970, 1971... vai pra frente?

MC: Vai até 1975.

SA: Mesmo dentro do golpe, há um momento em que a coisa fica mais violenta, que é depois do AI-5, a coisa se torna mais aguda ainda.

MC: Porque até 1968 a repressão pesada ainda não começou, está para começar nos meados de 1968 e se estende de 1969 a 1975. No caso da faculdade, tem a ocupação da Maria Antônia pelos estudantes e professores (a criação da Universidade Crítica, com gestão paritária de docentes e alunos), tem a guerra campal com os estudantes do Mackenzie e o grupo do CCC,[7] tem o incêndio da faculdade e a expulsão para os barracos da Cidade Universitária. Até meados de 1968, existe, digamos, a repressão no nível da repressão de massa, o instante em que se reprime passeata, mas não tem ainda o que vai acontecer logo em seguida, com a morte do estudante no Rio, as passeatas de protesto por todo o país, o início da guerrilha e a resposta do Estado com o AI-5. Por isso, quando a Albertina chega a Paris no começo de 1969, ela diz: "Estamos num processo revolucionário". É porque, agora, você tem as guerrilhas no interior, o movimento estudantil nas capitais e toda a política dos focos revolucionários nas grandes cidades. E agora tem prisão, tortura e morte.

MA: Que é a caçada.

MC: Que é feita no silêncio, com a desaparição. Logo que eu cheguei, Heleni Guariba e Emir Sader, cada um em dias diferentes, foram à minha casa, conversamos longamente sobre as ações revolucionárias previstas. Mas, alguns dias depois, Heleni desapareceu. E Emir foi pro Chile. Era assim.

[7] Comando de Caça aos Comunistas. Grupo paramilitar de extrema-direita. (N.E.)

LM: Esses policiais que estavam na sala de aula escutavam ou interrompiam a aula?

MC: Só escutavam. Eles vinham vestidos de estudantes, calça *jeans*...

JJ: Eram agentes, não se sabia que eram policiais, em tese.

MC: No caso da filosofia, a gente percebia pelo olhar deles... E aconteceu uma coisa muito interessante, porque os sobreviventes da prisão e os que não tinham sido presos nem torturados desenvolveram, sem perceber, uma linguagem críptica, um vocabulário que só fazia sentido para nós.

MA: E os alunos participavam dessa linguagem?

MC: A participação dos alunos se tornou intensa. Criou-se uma solidariedade difusa e profunda entre professores, alunos e funcionários. Então, você sabia que vinha à faculdade e não sabia se ia voltar para casa ou para o trabalho, vinha e não sabia se ia encontrar os alunos, se ia encontrar os colegas. Você estava no cafezinho, e um belo dia a Carmute[8] não aparece, não aparece no dia seguinte, não aparece mais. Está um belo dia no cafezinho, e o Salinas[9] não aparece, não aparece mais. Era assim. E há aqueles que não aparecem e não aparecerão nunca mais; e aqueles que não aparecem, mas depois você sabe que foram para outro lugar. Então, o que se criou foi um clima de solidariedade e com um fenômeno muito interessante, não sei se aconteceu nos outros lugares da universidade, mas na filosofia, ciências e letras aconteceu. Era o seguinte: tínhamos um inimigo claro, que evidentemente era a ditadura, mas através da ditadura se constituiu para nós a figura do inimigo político para sempre, que era o autoritarismo. Então, onde você percebesse que estava se instalando uma relação hierárquica, uma relação de poder e uma relação de autoridade, você era sensível para perceber isso e não deixava acontecer. Nem na sala de aula, nem na defesa de tese, nem na orientação de alunos. Por isso considero que foi aí que me formei politicamente,

[8] Cientista política Maria do Carmo Campello, presa e torturada e, depois, exilada. (N.E.)

[9] Professor de filosofia Luis Roberto Salinas Fortes, preso e torturado. Escreveu um livro sobre a prisão e a tortura, *Retrato calado*. (N.E.)

porque foi um período muito peculiar. Tanto que hoje em dia, depois da década de 1980, quando tudo se transformou e o mundo é outro, nesse departamento sou conhecida como a "grande mãe". Aquela que aceita o trabalho ruim, corrige, ajuda a melhorar até o trabalho ficar bom. Aquela que ouve aqueles seminários errados e chatérrimos, espera o aluno acabar, conversa com ele, até ele entender. Aquela que aceita um orientando ou uma orientanda com pouca formação e tem a paciência de formar alguém para a filosofia, e assim por diante. Não é uma figura materna, é uma figura política. É uma figura política, porque foi assim que decisivamente fui formada nos anos 1970, na luta contra o autoritarismo.

FA: Isso influenciou bastante a tua obra nos anos 1980. Dá para ver, aí, os livros sobre orientação sexual, ideologia...

MC: Fazer a crítica do que chamo de ideologia da competência... Desmontar o que chamo de discurso competente... Fui levada a essas ideias porque estão inseridas na luta contra o autoritarismo e a dominação. Onde eu percebesse que o autoritarismo se infiltrava, era lá que eu ia. Bom, na minha trajetória isso culmina com a entrada no PT. Antes disso, ainda no meio do caminho, o Francisco Weffort propôs a criação do Cedec, Centro de Estudos de Cultura Contemporânea, porque ele, que pertencia ao Cebrap, achava que o Cebrap era muito economicista e que era preciso um centro de estudos políticos e de crítica de ideologia. Então ele propôs a criação do Cedec. E eu criei o Cedec junto com ele, em 1976.

FA: Como você se aproximou do grupo que fundou o PT?

MC: Foi via Cedec. Começamos o Cedec como um centro de estudos políticos e de ideologia. O tema era socialismo e democracia, em volta disso as questões de ideologia. O Cedec trouxe uma mudança do foco de análise sobre o Brasil. Até então, as análises tinham como protagonista o Estado brasileiro (era o sujeito histórico) ou a economia (como na Teoria da Dependência, formulada por Fernando Henrique Cardoso, no Cebrap). Com o Cedec o social entra em cena, finalmente. A sociedade brasileira existe. Era uma análise inovadora da situação nacional e mundial das esquerdas; uma análise da ação de resistência no país, sobretudo dos movimentos populares e dos movimentos sociais, e uma proposta de ação política. As análises se voltaram para os movimentos sociais, os movimentos populares, os movimentos sindicais, a cultura popular, os partidos políticos, as formas sociais e políticas de organização, em suma, voltaram-se para os novos sujeitos históricos ou um sujeito histórico coletivo (como propôs Eder Sader). Propôs a redefinição da prática social transformadora, introduzindo a ideia de autogestão, e a redefinição da práxis política, introduzindo a ideia de participação. Essa duas redefinições determinaram a maneira como a democracia e o socialismo foram tematizados, discutidos e propostos pelo Cedec. Tanto que do Cedec teria nascido um partido socialista, se não tivesse havido um movimento social jamais visto e que trouxe à cena novos sujeitos políticos e históricos: as greves do ABC e a república de São Bernardo.

FA: E o Cedec tinha um programa político, de partido?
MC: Tinha, de partido socialista.

FA: E no meio vocês encontraram os operários do ABC?
MC: É. Eu digo isso literalmente: poucos intelectuais podem ter na vida o privilégio de ter uma proposta de esquerda, isto é, a ideia de que a história seja feita pelos próprios trabalhadores, e não por uma vanguarda intelectual, e dar de cara com isso. Ver sua ideia encarnada na realidade, no mundo.

MA: Como foi esse encontro?
MC: O primeiro encontro foi muito divertido. Fomos para o ABC durante as greves, e os operários diziam: "Vieram fazer tese, professora?" (*risos*).

JJ: Os sindicalistas? O Lula perguntava também?
MC: Perguntava. Todos eles perguntaram "Veio fazer tese, professora?". Porque uma das formas que a resistência à ditadura tinha tomado era estudar a classe operária, fazer tese sobre classe operária, não havia outro assunto. Todo mundo foi pra lá. E foi maravilhoso, porque os operários tiveram distanciamento com relação a nós perguntando se eram *objeto* de estudo, eles que eram *sujeitos* da ação! Ficou todo mundo com a cara no chão, e aí a gente não teve coragem

de dizer: "Não, somos companheiros, viemos aqui para participar". Com que cara você ia falar isso? Então, num primeiro momento, eles recusaram a nossa presença, porque a experiência que tinham era a de que os intelectuais os reduziam a objetos, e eles sabiam que eram sujeitos. A rejeição foi clara. Tanto assim que na primeira entrevista que o Lula deu na televisão, no *Roda Viva*, foi perguntado para ele: "Qual é o papel da universidade?". Ele disse: "Os estudantes e os professores serão de enorme ajuda, se ficarem na universidade estudando". Foi um banho de água fria... Então, muito devagarinho... E as figuras importantes para a aproximação foram o Weffort, o Mário Pedrosa e a Lélia Abramo. Os três foram conseguindo convencer os operários de que os intelectuais, os artistas, os universitários, os estudantes eram aliados importantes, que estavam na mesma luta contra a ditadura, e que era uma loucura nos deixar de fora. A aproximação foi feita. Depois das greves, houve a discussão sobre a criação de um partido. Eles eram contra, porque na cabeça deles o partido era o Partidão.

MA: A proposta era de vocês?

MC: Não, de jeito nenhum (aí seria mesmo a forma clássica de partidos de esquerda feitos por intelectuais). Foi o Jacó Bittar, que dirigia o Sindicato dos Petroleiros de Paulínia. Ele propôs que se criasse um partido político, e houve uma reação violenta da classe. Porque a imagem que a classe tinha de partido era uma imagem correta, aliás. Na verdade havia duas imagens recusadas: a imagem do Partido Comunista e a das vanguardas clandestinas, e eles não queriam saber de nenhuma das duas.

SA: E quando surge o PT?

MC: Aí aconteceu o seguinte: os operários se cansaram dessa discussão. Vocês podem imaginar o que eram essas discussões. Intermináveis. Repetitivas. E havia três posições. Uma dizia: "Precisa continuar a infiltração no MDB,[10] e transformar o MDB"; a outra era: "Não, é preciso criar um partido socialista fora das hostes do MDB";

[10] Movimento Democrático Brasileiro, oposição ao partido da ditadura ARENA. Somente com a nova legislação partidária é que o MDB se transforma em PMDB. (N.E.)

e a terceira era: "Não, não se cria partido político nenhum, vamos agir sob a forma dos movimentos sociais". Só que, a partir de um determinado momento, quando começa o esgotamento do poder das greves, e depois vem a prisão do Lula, eles tiveram uma discussão lá no ABC e viram que o sindicato não era o suficiente. Eles se deram conta de que o que estavam fazendo não passava só pela relação de trabalho, era uma coisa que atingia a sociedade inteira, e que, portanto, só através do sindicato eles não iam chegar a lugar nenhum. E decidiram criar um partido. E a questão que eles se colocaram foi: "Que partido?". O Lula disse: "Dos trabalhadores". Foi assim que nasceu.

WN: E esse nome, esse posicionamento, para os intelectuais não causou estranheza o fato de ser um nome sem definição ideológica?

MC: Na verdade, foi o contrário, porque pensei: "Agora, a esquerda inteirinha, sem nenhuma restrição, vai para esse partido, porque a classe universal se organizou por si mesma, criou seu partido, e vai fazer a revolução. Vai a esquerda inteira. Quando no mundo isso aconteceu? Nunca. Eu sou privilegiada por estar vendo isso". E levei um susto e caí do cavalo, porque as críticas mais ferozes contra um partido dos trabalhadores vieram da esquerda! Eu disse: "Não entendi nada. Como a esquerda recusa o seu partido, aquilo que ela deve ter esperado durante cem anos?". Para mim, foi uma coisa assim... E, aí, tudo de que eu tinha percepção muito confusa ficou claro da noite para o dia. Aí entendi o que é o Partido Comunista, fui entendendo os partidos de esquerda existentes no Brasil (e alguns que apareceram depois), porque na hora em que a classe trabalhadora se organiza, essa esquerda não vai junto porque ela não vai liderar nem mandar nem ser vanguarda de coisa alguma.

JJ: No começo da entrevista, a senhora falou que o marxismo foi como uma luz, que lhe deu uma explicação total para o mundo, etc. Nunca lhe passou pela cabeça o fato de o marxismo ser uma forma de religião, totalizante...

MC: Nunca. Porque o marxismo não tem nenhuma relação com a transcendência, nenhuma relação com o juízo vindo do exterior e nenhuma, mas nenhuma relação com a ideia de redenção e salvação. Ele opera com a materialidade social e o movimento da história, a qual é feita pelos próprios seres humanos (mesmo que eles não o saibam, né?).

JJ: Revolução não é uma forma de religião?

MC: Não, ela é uma emancipação imanente, isto é, feita pelos próprios homens no interior da vida social e em condições determinadas, e não pela vontade transcendente de divindades ou pela ação transcendente dos deuses. Não é destino, é história.

JJ: A senhora continua sendo marxista mesmo?

MC: Totalmente.

JJ: E qual o balanço que a senhora faz sobre o Leste Europeu, o Muro de Berlim?

MC: Para uma esquerda que não foi comunista stalinista, os acontecimentos do Leste Europeu foram um alívio. E, ao mesmo tempo, um problema de uma envergadura descomunal. Foi um alívio porque finalmente a esquerda pôde se afirmar, sem ter ininterruptamente que se explicar a respeito do stalinismo, carregar o fantasma do stalinismo. Então, ela tem uma liberdade de pensamento e uma liberdade de ação que não teve antes. Por outro lado, com o que se defronta? Com o fato de que, do ponto de vista geopolítico, e do ponto de vista de uma luta planetária, a existência do Leste Europeu era um limite para a burguesia. A burguesia sabia que não podia transpor um determinado limite porque haveria a possibilidade de uma revolução. Esse limite desapareceu. Se estamos na barbárie, é por causa da queda do Muro de Berlim – agora o capital pode tudo.

MA: Por que foi tão forte o impacto do neoliberalismo na sociedade que ficou todo mundo sem saber o que fazer, o que provocou a despolitização?

MC: Não, uma coisa é a despolitização, outra coisa é o impacto. O impacto sobre a esquerda vem porque, quando o neoliberalismo desestrutura o setor produtivo, reestrutura o setor financeiro e mexe no aparelho de Estado, ele vai abolindo todos os referenciais de que você dispõe como experiência histórica de luta e de organização, então você fica sem parâmetro. É como se subitamente você soubesse que tem um inimigo e não soubesse quem ele é, onde ele está. E, como você não sabe quem ele é e onde ele está, você não sabe como se luta contra ele. Então, dá um branco geral. E isso favorece uma proposta governamental de despolitização. Você tem uma situação de fato propensa à despolitização, porque tudo aquilo que você sabia que era fazer política não funciona mais. Politicamente, o neoliberalismo é o alargamento do espaço privado (os interesse de mercado) e o encolhimento do espaço público dos direitos. Então você tem um recuo do fazer política, um avanço do conservadorismo e uma proposta que vem do alto dizendo que ela exprime o consenso e é a paz democrática.

JJ: Professora, que balanço a senhora faz de sua participação na gestão da Erundina? E, na perspectiva de a Marta Suplicy ganhar as eleições, a senhora considera a possibilidade eventual de voltar ao governo?

MC: Não.

JJ: Por quê?

MC: Eu me considero um animal político sem nenhuma vocação ou capacidade administrativa. Não faço um balanço da minha gestão, faço uma imagem: se alguém me perguntar "Marilena, depois da *Divina comédia* de Dante Alighieri, e depois de *A portas fechadas* de Sartre, qual a sua imagem do inferno?" (*riso geral*), eu respondo: a Prefeitura de São Paulo e a condição de Secretária de Cultura. Vou contar duas passagens porque são tão contraditórias que vai ficar mais claro por que tenho essa imagem terrível da minha experiência. Um dia depois da posse da Erundina, ela foi procurada pelo Bardi,[11] que contou a situação desesperadora do Masp, que corria até o risco de cair, e foi pedir recursos. Depois da gestão de Jânio Quadros, não havia recursos para tocar a Prefeitura, muito menos para outras coisas. De todo modo, a Erundina me encarregou de ir ao Masp conversar com a diretoria. Eu fui. A diretoria estava reunida, e, quando a porta se abriu, vi, entre os presentes, gente que tinha criado e financiado a Oban,[12] gente que tinha patrocinado tortura e morte do pessoal da esquerda, gente ligada à ditadura. E tive uma reação física, uma ânsia de vômito, fiquei com a

[11] Arquiteto italiano idealizador e construtor do Museu de Arte de São Paulo (Masp). (N.E.)

[12] Operação Bandeirantes, organização financiada pela burguesia de São Paulo para prisão, tortura e morte de inimigos políticos do regime. (N.E.)

boca cheia de bílis, e pensei: "Não posso entrar, não posso entrar. Eles só receberão auxílio da gestão Erundina em cima do meu cadáver". Ao mesmo tempo, eu sabia que isso era uma atitude absurda, porque havia outras pessoas lá também, porque o museu é um patrimônio da cidade, porque é importante do ponto de vista da cultura. Eu me dizia: "Bom, não posso olhar homogeneamente essa diretoria, não posso dizer que o problema do Masp não é grande e que não é preciso encontrar uma solução, mas não posso permitir que a gestão petista coloque recursos num local onde está a Oban e onde há pessoas que com três ou quatro cheques consertam esse museu e que têm suficientes ligações com empreiteiras que podem acabar fazendo de graça". Essa foi a minha primeira experiência como Secretária de Cultura.

JJ: A senhora entrou ou não na sala?

MC: Entrei e disse que não sabia quais eram as opções políticas deles e, portanto, eu não sabia se o que eu iria dizer poderia ofender alguém, mas que era preciso levar em conta o que o prefeito Jânio Quadros tinha feito com a cidade de São Paulo, expliquei a situação das finanças e que não tínhamos condição, pelo menos num curto prazo, de auxiliar o Masp, e me fui. Mas tem a outra experiência e que é oposta a essa. Criamos as chamadas Casas de Cultura. A ideia era que a Casa de Cultura fosse a negação do centro cultural, que funciona como um *shopping* cultural – a ideia era que ela fosse um centro de produção cultural e reflexão cultural. Fizemos a do Ipiranga e a do Butantã. A Administração Regional de Itaquera tinha um parque deslumbrante, que se tornou o Parque Raul Seixas, e lá havia uma casa linda. Aí fomos lá para fazer a Casa de Cultura, e muita gente se escandalizou, dizendo: "Não façam uma coisa dessas, é ao lado da Cohab Tiradentes, vocês vão pintar a casa, eles vão sujar; vocês vão pôr janela, eles vão tirar; vocês vão pôr aparelho de som, eles vão roubar; vai ter tráfico de drogas, vai ter banditismo". Apesar da grita, resolvemos fazer. O Administrador Regional arrumou o parque, que ficou lindo, ajudou a reformar a casa, que ficou uma beleza. Como o pessoal está acostumado à ideia de que cultura é show, não vinha ninguém. A gente panfletava convidando a que ocupassem a casa, e não vinha ninguém. Aí fizemos um show, encheu de gente, e as mães da Cohab descobriram que havia um parque de verdade para as crianças. Então passaram a vir com as crianças. Começaram a trazer as crianças. Enquanto as crianças brincavam, elas entravam na casa e conversavam. Conversa vai, conversa vem, eram todas migrantes e começaram a trocar receitas. Então perguntaram se podiam fazer um fogão e um forno na cozinha. Respondemos que sim. Elas ficaram meio surpresas porque dissemos: "Cozinhar é cultura, é uma coisa importantíssima da cultura". Aí começaram a cozinhar e chegaram à conclusão de que havia muitos ingredientes que elas não tinham, então perguntaram se podiam fazer uma horta. Aí fizeram a horta. Acontece que uma das meninas que dirigia a casa tinha feito biologia e, conversando com as mulheres, disse: "Vocês usam erva só pra tempero, pode usar pra tanta outra coisa. Dá pra fazer cosmético, dá pra fazer produto de limpeza, dá pra fazer isso, fazer aquilo, dá pra fazer chá de não sei o quê". Elas ficaram entusiasmadíssimas. E pediram um curso de ervas. Fomos na Faculdade Paulista de Medicina, na Farmacologia, e perguntamos se tinha médicos que estivessem dispostos a dar um curso de farmacologia para mulheres da Casa de Cultura de Itaquera. Disseram que sim. E foi então que o caldo entornou. A assessoria jurídica da Secretaria de Cultura explicou que não podia fazer o contrato com a Faculdade Paulista porque farmacologia não é cultura (*risos*) e trouxe o regimento da Secretaria, onde cultura é definida como "arte". Fizemos, então, um projeto de lei mudando a definição de cultura (*risos*), levamos na Câmara, conversamos com cada vereador, vários deles perceberam que não alterar aquilo, não deixar as mulheres da Cohab Tiradentes terem o seu curso, ia influir nas eleições, e aprovaram. Hoje em dia, a cidade de São Paulo tem um conceito de vanguarda do que é cultura, tomada no seu sentido antropológico amplo de criação de símbolos e valores, indo da culinária (afinal, Lévi-Strauss nos ensinou que a cultura começa com a proibição do incesto e com a distinção entre o cru e o cozido!) às artes, ao trabalho do pensamento, da imaginação e da sensibilidade. E que ela é um direito do cidadão. Eu poderia multiplicar histórias como essa da Cohab, uma mais comovente do que a outra, só que isso era contrabalançado pelo cotidiano administrativo, que é um horror! Uma coisa dantesca, inominável, porque é uma máquina gigantesca imóvel, rotineira, que não aceita mudança. E da burocracia eu sabia o que o Marx, o Lefort e o Hegel tinham falado (*riso geral*). Aí *experimentei* a burocracia, e eu era tão ingênua, tão ingênua, que logo no começo, depois de bater na burocracia, bater, bater e não acontecer nadinha, convoquei uma assembleia de todos os funcionários. "Vou explicar para eles o que é a democracia, e por que a burocracia é contra a democracia." Fui lá: "A democracia é isto, isto, isto. A burocracia é isto, isto, isto. A burocracia é baseada na hierarquia, no segredo e na rotina e por isso é contra a democracia, que é baseada na igualdade, na informação e na criatividade. Queremos fazer um governo democrático, mas só podemos fazer um governo democrático se a Secretaria de Cultura dentro dela mesma for democrática". A expressão dos funcionários era de estupidificação e de perplexidade. O que eles pensavam: "Ela desceu de outro planeta, não sabe o que está falando, tá louca, é louca!" (*riso geral*).

LM: E mais eles pensavam: "Ela passa e nós ficamos aqui".

MC: Exato, "ela que faça todas essas bobagens que quer fazer". A outra experiência, para dar também o limite da minha ingenuidade, era o seguinte: fazíamos semanalmente uma reunião da equipe de direção, uma reunião fechada, e suponhamos que no meio de uma reunião eu dissesse: "Mas esta Secretaria tá uma sujeira, tá uma vergonha, você recebe as pessoas nessa confusão, vamos passar uma tinta nesse prédio". Terminada a reunião, vem um grupo de representantes do prédio: "Secretária, viemos aqui porque somos contra essa história de pintar o prédio de vermelho e verde" (*risos*). Eu disse: "Primeiro, quem disse que vai pintar, e segundo, quem disse que de vermelho e verde?". Bom, esse tipo de coisa era o cotidiano e por causa disso também fiz uma assembleia sobre o poder antidemocrático da fofoca e do boato (*risos gerais*). Aí foi o caos completo, porque para os funcionários, submetidos à autoridade e aos segredos burocráticos, o boato e a fofoca são o circuito da informação. Eu dizia para eles: "Isso é a desinformação e a contrainformação, que impedem que circule a informação, e se a informação não circular a Secretaria não será democrática". Eles não entendiam nada, achavam que eram informadíssimos (*risos*). Então parei. A relação com esse universo era absolutamente impossível pra mim, porque a burocracia funciona na base do sigilo, da hierarquia e da rotina. E a democracia funciona na base da informação, da igualdade e da criação.

LM: E quando começaram a funcionar as subprefeituras não facilitou?

MC: Sem dúvida. E mais: a partir do terceiro ano, os funcionários foram se acostumando conosco. Se tivéssemos mais quatro anos, teríamos mudado a prefeitura e teríamos tido influência sobre a Câmara, porque Luiza Erundina enviou para lá 385 projetos de lei – não aprovaram nenhum. Fizemos tudo com a certeza de que era provisório. Tanto que o Maluf entra e, três meses depois, não tem nem sombra de nada do que fizemos, porque nada daquilo ficou institucionalmente consagrado.

SA: Foi um desmonte...

MC: E ao mesmo tempo tenho coisas cômicas. Em 1991, o Teatro Municipal fez 80 anos e era também o Ano Mozart. Para fazer as comemorações, o custo tem de aparecer na peça orçamentária. E fui chamada à Câmara para explicar o orçamento da Secretaria de Cultura. Tem uma coisa, tem outra, e aí um vereador perguntou: "Por que essa verba tão alta para o Teatro Municipal?". Eu disse: "O Municipal vai fazer 80 anos e é também o Ano Mozart". E outro vereador perguntou: "O Vicente Matheus sabe?". Eu disse: "Mas o que o Vicente Matheus tem a ver com o Teatro Municipal?". "A senhora não vai contratar o Mozer?"[13] (*risos*). Isso era o ponto mais sofisticado da Câmara de Vereadores com relação à cultura.

JJ: Professora, a questão da universidade é muito importante, até porque a maioria dos leitores é de universitários, por isso a gente insistiu no começo para a senhora explicar como era a universidade e...

MC: Então era bom explicar o que aconteceu com ela durante e depois da ditadura, não é?

JJ: Eu gostaria que a senhora explicasse a trajetória de um certo grupo de intelectuais que participaram da luta contra a ditadura e que hoje participam do desmonte da universidade pública.

[13] Mozer era um jogador de futebol famoso na época, e dizia-se que o presidente do Corinthians, Vicente Matheus, estava interessado em contratá-lo. (N.E.)

SA: Até porque esses nomes permeiam a sua conversa, são citados várias vezes, o Weffort, o Fernando Henrique, o Giannotti...

MC: Bom, deixa contar um pouco. Mesmo porque os estudantes já pediram para ouvir isso várias vezes, o que foi a reforma da universidade no tempo da ditadura. O que faz a ditadura? Ela reprime a classe trabalhadora, reprime a esquerda e tira todo e qualquer poder da classe média, que, entretanto, é a sua base de sustentação ideológica e política. Ela introduz, então, várias formas de compensação para a classe média, e uma das coisas que ela introduziu como compensação foi a promessa de abertura da universidade como forma de ascensão social e prestígio. Por que ela faz essa promessa, e por que ela cumpre? Porque o Conselho Federal de Educação, durante todo o período da ditadura, foi dirigido pelos donos das escolas particulares. O primeiro ato foi destruir a escola pública de primeiro e segundo graus, sob o argumento de que os professores eram subversivos. Na verdade, isso foi feito porque garantiu a ampliação da rede das escolas particulares, cujos proprietários eram os membros do Conselho. A seguir, é introduzida a ideia da universidade aberta para a classe média. Isso leva ao aumento do número das vagas nas universidades públicas, e para isso introduzem o vestibular unificado e por teste de escolha múltipla. É também o período em que o governo está lutando contra a chamada "evasão dos cérebros" (isto é, grandes professores contratados por universidades estrangeiras e deixando o Brasil), e por isso aumenta os salários dos professores e permite um número maior de contratações (já que, em todas as universidades, há comissões policiais e militares que fazem o controle de quem é contratado). Modifica-se o currículo, introduzindo os cursos semestrais e a noção de crédito em cada disciplina e com um número de créditos para cada curso; dividem-se as matérias em obrigatórias e optativas; introduz-se a licenciatura curta, para formar rapidamente professores de primeiro e segundo graus, e introduz-se o Ciclo Básico, que reúne numa única sala alunos de vários cursos, descartando investimentos em infraestrutura e contínua ampliação do corpo docente (em alguns lugares houve resistência à implantação da licenciatura curta e do Ciclo Básico). Ao mesmo tempo, deslocam-se os recursos públicos em duas direções: para os caciques das oligarquias da ditadura; e esses caciques, esses coronéis ganham prestígio e poder em suas regiões, abrindo universidades federais, nas quais colocam os amigos. E uma outra parte dos recursos vai para as universidades particulares, que a partir de então pululam por toda parte. Nesse processo, a ditadura deu o ensino médio para a baixa classe média, para compensá-la por não chegar até a universidade, e por isso foram colocados no ensino médio os chamados cursos profissionalizantes. No caso do ensino superior público, foi afunilada a entrada na universidade, e, ao mesmo tempo, foi proposto que a universidade pública começasse a ser indiretamente subvencionada por empresas privadas, porque a função da universidade seria a de formar mão de obra para o mercado. Com isso, não só os governantes destroçaram a universidade crítica dos anos 1960, como destroçaram as universidades clássicas que havia no Brasil. Essa primeira universidade da ditadura chamo de "universidade funcional". Quer dizer, ela cumpre duas funções: pacifica a classe média e funciona para o mercado de trabalho. A etapa seguinte, que é a etapa dos anos 1980, chamo de "universidade de resultados". É aquela universidade que, com a estrutura que nela foi colocada, deve mostrar que é produtiva. O critério da "produtividade" leva à divisão das universidades em dois tipos: as chamadas "centros de excelência", como é o caso da USP e da Unicamp, e as chamadas "alinhadas", isto é, as que fazem a opção preferencial pelo vínculo com os movimentos sociais. As universidades "alinhadas" são consideradas o lugar do baixo clero "improdutivo".

JJ: A PUC seria o quê, nesse caso?
MC: Está entre os centros de excelência.

MA: Quais são as alinhadas?
MC: As federais. Então, nos centros de excelência, a produtividade é medida pelo número de publicações, pelo número de orientandos na pós-graduação, pelo número de cursos de extensão. Bom, dá aquele rolo que vocês todos conhecem:, fazer aquela "lista dos improdutivos", que é uma piada de mau gosto e inteiramente falsa.[14]

[14] Na sua gestão como reitor da Universidade de São Paulo, José Goldemberg vazou para a imprensa uma "lista dos improdutivos", em que nomes relevantes do trabalho acadêmico estavam listados por não preencherem os critérios (empresariais) de "produtividade".

JJ: José Goldemberg...

MC: O caso é: consagrou-se a ideia de separar as universidades "alinhadas" improdutivas e as universidades "excelentes", e dentro das excelentes dividir em "Universidade Um" e "Universidade Dois". A Universidade Um (por exemplo, USP e Unicamp) forma as elites, na pesquisa e no mercado. A Universidade Dois forma docentes e prepara estudantes para a pós-graduação nas universidades Um. Qual é o sentido dessa brincadeira? A definição da distribuição dos recursos. Então, para as "alinhadas" não vai nada, para as excelentes vai tudo, só que vai menos para as excelentes Dois e mais para as excelentes Um.

JJ: Esse sistema de classificação é formal ou informal?

MC: Ah, é informal. Aparece apenas na avaliação da produção, ninguém fala isso.

MA: Nem nos centros de excelência?

MC: Não, isso é a linguagem política do processo. A linguagem formal do processo é "produtivo" e "improdutivo", e tem a classificação. Você é classificado em A, B, C e D. Essa classificação vai para as graduações, para as pós-graduações, determina a distribuição de bolsas, determina auxílios para colóquios, congressos, publicações e para a infraestrutura de pesquisa. Você tem um controle econômico da produção a partir desses critérios inteiramente abstratos e quantitativos da produtividade. Bom, esse modelo se sobrepõe ao modelo anterior (a "universidade funcional"), que permaneceu como um resto. Mas, agora, estamos passando da "universidade de resultados" para uma outra formação, que eu chamo de a "universidade operacional". O termo "operacional" me foi inspirado por um autor canadense chamado Freitag, que escreveu um livro chamado *Naufrágio da universidade*. A universidade operacional é aquela que realiza ou concretiza as virtualidades da universidade funcional e da universidade de resultados. Como ela faz isso? Como explica Freitag, tomando a universidade como uma organização social, isto é, como uma administração ou uma gestão de recursos, e a sua distribuição sob a forma de contratos universitários. E a ênfase recai sobre o vínculo entre produtividade e especialização. Considera-se que a produtividade aumenta com o aumento do grau de especialização, que é típico da noção de organização, na medida em que uma organização sempre tem um problema local com um objetivo particular, uma meta particular, que ela vai resolver. Então, se consolida um processo de fragmentação da atividade universitária, de hierarquização da qualidade e de hierarquização dos recursos. Essa fragmentação e essa hierarquização, do ponto de vista do contrato de gestão, recebem o nome de "autonomia universitária". A autonomia não é o poder da universidade para se autodirigir e decidir currículos, avaliações, etc., não tem nada a ver com o processo acadêmico. A autonomia se refere à liberdade para encontrar formas convenientes de gestão dos recursos quanto à operacionalidade. Se ela tem de dar resultados e ser funcional, precisa ter um referencial, ou seja, ela é operacional para quem? Resposta: para o desenvolvimento econômico do país. Ou seja, ela é operacional para as empresas privadas. E, portanto, são as empresas privadas que vão julgar a qualidade e a produtividade universitárias porque elas vão despejar recursos através de convênios e de fundações privadas. Ao mesmo tempo, isso produz um problema. É que os currículos não estão em consonância com essa demanda empresarial. Então, para estabelecer a consonância do currículo com a demanda empresarial, se introduz uma nova terminologia, que se chama "flexibilização". Então, você flexibiliza o currículo, altera o currículo para responder à demanda. E depois, como tudo isso tem de ter o parâmetro da avaliação, fala-se na "qualidade total" da produção. Acontece que determinadas universidades, que têm um certo padrão de trabalho e que conseguiram sobreviver com esse padrão na universidade funcional e na de resultados, desaparecerão como universidades se elas se tornarem operacionais, como pode ser o caso da USP.

MA: Por quê?

MC: Porque isso vai esfacelar o trabalho que ela realiza. O que se propõe como corretivo do esfacelamento? A interdisciplinaridade. Você tem o que um companheiro petista chama de "uma faca de dois legumes", no caso, a produtividade vinculada à especialização, mas a qualidade vinculada à interdisciplinaridade. Aí você tem uma proposta perfeitamente esquizofrênica. Agora, vamos sobrepor a isso a consonância, a sintonia fina, a harmonia que há entre o MEC e o pensamento do Banco Mundial e do BID para a reforma universitária.

WN: Isso é um projeto interno?

MC: Interno. Ele não vem de fora. O que vem de fora é um diagnóstico das universidades brasileiras no qual é dito o que não é aceitável para haver investimento. Mas como é feito o diagnóstico, quem fornece os dados do diagnóstico? Nós. Porque para fazer o diagnóstico o Banco Mundial e o BID têm de ter gente nossa que pensa daquele jeito. Então, não é que não venha um pacote do Banco Mundial e um pacote do BID, eles vêm, mas não são um pacote vindo de fora. Eles são produzidos conosco mesmo, somos nós que produzimos o diagnóstico, enviamos aos bancos; e a parte dos bancos consiste em dizer: "Bom, diante desse diagnóstico não invisto se houver isto, isto e isto. E invisto se houver isto, isto e isto. Virem-se". Como o pensamento é único, como eles pensam todos da mesma maneira, o que acontece? O Banco Mundial diz: "Investimento público maciço tem de ir para primeiro e segundo graus. Virem-se, mas é lá". Resposta do governo: municipalização e o Fundão. Há um novo desmonte do primeiro e do segundo graus (que agora se chamam "fundamental" e "médio"), e ao mesmo tempo há a afirmação de que a prioridade está lá, e que a prova dessa prioridade é a municipalização e a existência do fundo. E evidentemente prova-se tal prioridade com todas as ações de superfície: pintar os prédios, colocar computador, coisas desse tipo. Do lado da universidade, o diagnóstico veio do BID. O BID faz o diagnóstico, e no rodapé está: "Dados vindos de... Dados vindos de...". Então os dados vieram todos daqui mesmo.

WN: E esse diagnóstico é um papel, é um documento?

MC: É um documento do BID sobre o ensino superior na América Latina e no Caribe. O diagnóstico usa dois critérios: custo/benefício e a existência ou não de um sistema de punição e recompensa. Na análise de custo/benefício, o diagnóstico é a inoperância das universidades da América Latina e do Caribe. E, na análise de recompensa e punição, o diagnóstico é: laxismo, falta de um sistema rigoroso de recompensa e punição. Bom, intermediando a discussão do custo/benefício, e da recompensa/punição, é feita, vamos dizer, uma avaliação dos principais problemas, que, segundo o BID (apoiado nos dados por nós enviados) são: a evasão, o arcaísmo dos currículos do ensino superior e o gasto excessivo com pessoal. É muito interessante. No documento, os problemas aparecem como se fossem dados da natureza. Na natureza tem vulcão, maremoto, ciclone e a evasão (*risos*). Não tem causa, não tem origem, não tem sociedade, não tem nada, tem a evasão. Então, os problemas são: a evasão, o gasto excessivo com professores e funcionários sem investimento em infraestrutura, currículos obsoletos, inoperância na gestão das verbas. E na punição/recompensa há frouxidão das universidades nos critérios de avaliação. Bom, depois do diagnóstico, vem o remédio ou a proposta. O ensino superior é dividido em quatro – eles falam "funções" –, em quatro funções: a formação de elite na pesquisa e para o Estado; a grande escola profissional; o curso técnico; e o que eles chamam de *liberal arts*, ou o generalista. A formação de elite é feita por meio de cursos de graduação, de pós-graduação e de centros de pesquisa, investimento exclusivamente público, a fundo perdido, avaliação somente pelos pares. O diagnóstico é que a América Latina e o Caribe são completamente deficitários nessa primeira função e que é preciso fazer esse investimento, e por isso precisam ser corrigidos os problemas de gestão, certo? A segunda função é a do profissional, que é a tradição: direito, medicina, engenharia, arquitetura, e novas profissões também. Aqui há graduação, a pós-graduação é opcional, e o financiamento deve ser misto, uma parte privado, uma parte público. A análise também é de que a América Latina é deficitária e obsoleta nisso. A terceira função é a função técnica ou o curso superior técnico, que é um curso de graduação de curta duração, ou seja, se uma graduação dura quatro anos, o curso técnico deve durar dois. Ele está diretamente vinculado à demanda do mercado e deve ser financiado privadamente. E, finalmente, a quarta função é a do generalista, que é um curso superior com disciplinas gerais e currículo feito pelo interessado, o qual pode estar fazendo outros cursos, ou não ter feito nenhum, e tem um diploma de curso superior montando um currículo de várias disciplinas interessantes. A função desse curso é o que eles chamam de "agregar valor" ao currículo. Ou seja, na competição do mercado de trabalho, você faz esse curso e aumenta o valor competitivo do currículo. Essa proposta do BID está sendo implantada pelo governo de FHC.

FA: E como entram os intelectuais, formados pela universidade pública, que estão aí?

MC: Eles pensam da mesma maneira. Aquela fala curiosa do Fernando Henrique: "Eu não vou privatizar o ensino superior porque ninguém quer pagar os custos". E depois explicou: "Não, isso tem de ser investimento de longo prazo...". É a descrição que o BID faz da formação de elites. Aquela fala é a descrição palmar do BID para a formação de elites, que tem de ser exclusivamente com dinheiro público.

SA: Quando a senhora estava deixando a Secretaria da Cultura, o Maluf indicou o Rodolfo Konder como secretário. Nesse dia a entrevistei no rádio, e disse: "Como a gente se surpreende, professora, a gente que esteve do mesmo lado com várias pessoas...". E a senhora respondeu no ar: "Nós fomos enganados, fomos iludidos, porque eles sempre estiveram daquele lado e a gente não soube perceber isso". Essa mesma resposta se aplica agora?

MC: Se aplica. Se você pegar o texto da Teoria da Dependência, desenvolvido por FHC nos tempos do Cebrap, já está tudo lá. Como é montada a explicação através da Teoria da Dependência? A dependência tem o famoso banquinho de três pés: o capital estrangeiro, a burguesia nacional e o Estado. Você tem uma teoria sobre a América Latina, sobre a dependência, na qual a classe trabalhadora nunca entrou. Ela não faz parte do contexto da sociedade, não faz parte da história, não existe. Ela não entra nem sequer numa nota de rodapé. Você tem uma teoria completa sobre o país, e sobre a região, que exclui a classe trabalhadora. Então, não acho que precisa esquecer o que foi escrito.[15] Precisa é ler melhor o que foi escrito. Tem a tese de doutoramento do Fernando Henrique sobre a escravidão na região meridional, na qual o escravo é dito inconsciente, alienado, passivo; tem lá o senhor de escravo como sujeito de ações, mas o escravo nunca aparece como sujeito de ação. E temos hoje todos os estudos contemporâneos feitos sobre a escravidão que mostram o escravo como sujeito histórico. Mas a imagem do escravo passivo ou inexistente está lá na tese de doutorado, sempre esteve lá.

[15] Trata-se da afirmação de Fernando Henrique Cardoso quando candidato à presidência da república: "Esqueçam tudo o que escrevi". (N.E.)

WN: Porque se leu tanto tempo pensando que aquilo era uma coisa...

MC: Porque aconteceu com o meio intelectual o mesmo que aconteceu inicialmente com o PT. Dada a existência de um inimigo comum de poder descomunal, todos que estiverem contra esse inimigo comum estão do mesmo lado, pensam da mesma maneira, vão no mesmo barco. E é só no instante em que a figura desse inimigo se dissolve, e que os caminhos se traçam, que você percebe que as diferenças são profundas.

JJ: Professora, mas não dá pra falar isso do Francisco Weffort, por exemplo.

MC: Não, o Weffort pra mim é um mistério.[16]

SA: E qual é o seu choque, a sua perplexidade, a senhora que ficou de braço dado no portão, com a sua barriga lá, na Maria Antônia, a senhora citou os nomes, Fernando Henrique entre eles, e de repente vê isso?

MC: É que acompanhei um percurso muito mais longo. Pontuado por uma história, e no interior dessa história já havia os sinais. E mais: a minha surpresa não é tanto que ele fale na terceira via[17] (estou lendo tudo o que posso sobre a terceira via), não é tanto pelo fato de ele se considerar parceiro do Tony Blair e do Clinton (cada um se vê como quer). A surpresa para mim, e me manifestei publicamente, foi a aliança com o PFL. Porque uma coisa é você explicar a história do país sem se referir à classe trabalhadora, explicar a história da escravidão sem colocar o escravo como sujeito, achar viável uma terceira via que não é a esquerda nem a direita, até aí dá pra aceitar, você acompanha uma lógica de pensamento. O que não dá é que a ideia de terceira via justifique a aliança com o PFL.

[16] O fato de Francisco Weffort, fundador do PT, ter abandonado o PT e se tornado ministro da Cultura do governo de FHC.

[17] Ideia desenvolvida pelo intelectual do Labour Party inglês, Anthony Giddens, que propõe, entre o capitalismo neoliberal e o socialismo, uma "terceira via" a ser seguida pela social-democracia. Ideia seguida por Tony Blair e Clinton.

JJ: Professora, uma coisa que me chocou muito foi o episódio Pinochet, que não produziu nenhuma reação visível na USP. Existe uma certa letargia por parte dos professores da USP, dos intelectuais da USP?

MC: Eu penso o seguinte: o neoliberalismo fragmentou o mundo do trabalho e a sociedade, deu ao mercado a chave da suposta racionalidade do mundo, fez da competição individual a condição da existência bem-sucedida, fortaleceu a ideologia da competência ou a divisão social entre os que supostamente sabem e devem mandar e os que não sabem e por isso devem obedecer, introduziu o desemprego estrutural e a divisão, em todos os países, entre a opulência jamais vista e a miséria jamais vista. A isso, corresponde a ideologia pós-moderna que elogia o fragmentado, o efêmero e o contingente, considera as ideias modernas de racionalidade e história como mitos totalitários, substituindo-as pelo elogio do imediato, do aqui e agora, e faz o elogio da intimidade narcísica solitária. Esse é um quadro de refluxo dos movimentos sociais e populares e das esquerdas no mundo inteiro e no Brasil. No nosso caso, Fernando Henrique Cardoso, diante da situação em que se encontram as esquerdas e os movimentos sociais, faz um governo que opera sem oposição e que, ao resolver – através da moeda – no nível da superfície aquilo que, num primeiro momento, era para uma parte da população o mais grave, e que uma outra parte estava convencida de que era o mais grave, que é a inflação, despolitizou a sociedade brasileira. Então, aparência de que o magno problema do país estava resolvido e que, resolvido isso, os outros problemas seriam resolvidos também desde que se deixasse o governo trabalhar sossegado. Em seguida, com a história da reforma da Previdência, o governo desarticulou setores inteiros, que se desorganizaram na corrida pela aposentadoria antes de prejuízo maior. Depois, de uma maneira mais sofisticada, o governo federal convenceu a população brasileira de que o MST era, primeiro, arcaico, e, segundo, violento e perigoso para a paz. Então investiu o MST da origem da violência e neutralizou perante a opinião pública aquilo que poderia gerar outros movimentos sociais e populares. No caso específico da USP, nos seus postos dirigentes, ela é ou claramente de extrema-direita ou liberal-progressista. E ela é majoritariamente, nessas esferas, pelo PFL e pelo PSDB e espontaneamente entrou em consonância com o governo.

As associações de docentes, as associações estudantis, por causa da situação de esfacelamento das esquerdas e dos movimentos sociais, se esfacelaram também. E, dado o problema das aposentadorias e o problema do arrocho salarial, a Adusp[18] se concentrou na questão salarial, deixou num segundo plano as outras questões. Houve um conjunto de prioridades imediatas que obscureceram a questão principal. E tem o que aconteceu com a cabeça do alunado. Um aluno me procurou há pouco tempo e me disse o seguinte: "Professora, eu quero que a filosofia seja valorizada na sociedade, quero que a filosofia seja respeitada. Então, vou fazer um projeto, e a senhora avalia para mim qual destes dois caminhos é o melhor: abro um consultório de filosofia clínica ou vou fazer assessoria ética para as empresas?" (*risos*). Eu fiquei completamente imobilizada (*risos*), porque na cabeça desse jovem estudante o mercado é a *ratio* última, o mercado é o destino...

JJ: Filosofia clínica?

MC: Tem no mundo inteiro. É uma coisa que veio da Holanda. Mas voltando à pergunta anterior. Então, você tem a hegemonia neoliberal, a hegemonia pós-moderna, o primeiro momento do Plano Real e o mercado como destino. E uma despolitização da universidade. O silêncio da universidade sobre Pinochet se insere nesse quadro.

[18] Associação dos Docentes da USP. (N.E.)

A ideologia da competência[1]

A ideologia é um conjunto lógico, sistemático e coerente de representações (ideias e valores) e de normas ou regras (de conduta) que indicam e prescrevem aos membros de uma sociedade o que devem pensar e como devem pensar, o que devem valorizar e como devem valorizar, o que devem sentir e como devem sentir, o que devem fazer e como devem fazer. Ela é, portanto, um corpo explicativo (representações) e prático (normas, regras, preceitos) de caráter prescritivo, normativo, regulador, cuja função é dar aos membros de uma sociedade dividida em classes uma explicação racional para as diferenças sociais, políticas e culturais, sem jamais atribuir tais diferenças à divisão da sociedade em classes a partir das divisões na esfera da produção econômica. Pelo contrário, a função da ideologia é ocultar a divisão social das classes, a exploração econômica, a dominação política e a exclusão cultural, oferecendo aos membros da sociedade o sentimento da identidade social, fundada em referenciais identificadores, como a Humanidade, a Liberdade, a Justiça, a Igualdade, a Nação. Como salienta Marx, o primeiro a analisar o fenômeno ideológico, a ideologia é a difusão para o todo da sociedade das ideias e dos valores da classe dominante como se tais ideias e valores fossem universais e aceitos como tais por todas as classes.

[1] Versão revista e ampliada do texto originalmente publicado em: *O que é ideologia*. Editora Brasiliense, 1981.

A ideologia burguesa, como explica Claude Lefort,[2] era um pensamento e um discurso de caráter legislador, ético e pedagógico, que definia para toda a sociedade o verdadeiro e o falso, o bom e o mau, o lícito e o ilícito, o justo e o injusto, o normal e o patológico, o belo e o feio, a civilização e a barbárie. Punha ordem no mundo, afirmando o valor positivo e universal de algumas instituições como a família, a pátria, a empresa, a escola e o Estado, e, com isso, designava os detentores legítimos do poder e da autoridade: o pai, o patrão, o professor, o cientista, o governante.

Podemos dizer, no entanto, que, a partir dos anos 1930, houve uma mudança no discurso ideológico. Com efeito, o processo social do trabalho sofreu uma modificação que iria espalhar-se por toda a sociedade e pelas relações sociais: o trabalho industrial passou a ser organizado segundo um padrão conhecido como *fordismo*, no qual uma empresa controla desde a produção da matéria-prima (no início da cadeia produtiva) até a distribuição comercial dos produtos (no fim da cadeia produtiva). Além desse controle total da produção, são introduzidas a linha de montagem, a fabricação em série de produtos padronizados e a ideia de que a competição capitalista realiza-se em função da qualidade dos produtos, qualidade que depende de avanços científicos e tecnológicos, de modo que uma empresa deve também financiar pesquisas e possuir laboratórios. Com o fordismo, é introduzida uma nova prática das relações sociais, conhecida como *a Organização.*

Analisando a maneira como o modelo da Organização se difunde e se espalha por todas as instituições sociais e por todas as relações sociais, Lefort fala da ideologia contemporânea como a *ideologia invisível.* Ou seja, enquanto na ideologia burguesa tradicional as ideias eram produzidas e emitidas por determinados agentes sociais – o pai, o patrão, o padre ou pastor, o professor, o sábio –, agora parece não haver agentes produzindo as ideias, porque elas parecem emanar diretamente do funcionamento da Organização e das chamadas "leis do mercado".

Examinemos o que se entende por Organização. Quais suas principais características?

[2] LEFORT, Claude. Esboço de uma gênese da ideologia nas sociedades modernas. *Estudos,* São Paulo: CEBRAP, n. 10, 1974.

Em primeiro lugar, a afirmação de que organizar é *administrar*, e administrar é introduzir racionalidade nas relações sociais (na indústria, no comércio, na escola, no hospital, no Estado, etc.). A racionalidade administrativa consiste em sustentar que não é necessário discutir os *fins* de uma ação ou de uma prática, e sim estabelecer *meios* eficazes para a obtenção de um objetivo determinado.

Em segundo, a afirmação de que uma organização será *racional* se for eficiente e será eficiente se estabelecer uma rígida hierarquia de cargos e funções, na qual a subida a um novo cargo e a uma nova função signifique melhorar de posição social, adquirir mais status e mais poder de mando e de comando. A organização será tanto mais eficaz quanto mais todos os seus membros se identificarem com ela e com seus objetivos, fazendo de sua vida um serviço a ela, retribuído com a subida na hierarquia de poder.

Em terceiro, a afirmação de que uma organização é uma *administração científica racional* que possui lógica própria e funciona por si mesma, independentemente da vontade e da decisão de seus membros. Graças a essa lógica inerente à própria organização, é ela que possui o conhecimento das ações a serem realizadas e das pessoas competentes para realizá-las.

No caso do trabalho industrial, a organização introduz duas novidades. A primeira, que já mencionamos, é a linha de montagem, isto é, a afirmação de que é mais racional e mais eficaz que cada trabalhador tenha uma função muito especializada e não deva realizar todas as tarefas para produzir um objeto completo. A segunda é a chamada *gerência científica*, isto é, depois de despojar o trabalhador do conhecimento da produção completa de um objeto, a organização divide e separa os que possuem tal conhecimento – os gerentes e administradores – e os que executam as tarefas fragmentadas – os trabalhadores. Com isso, a divisão social do trabalho faz-se pela separação entre os que têm competência para dirigir e os incompetentes, que só sabem executar.

Atualmente o modelo da organização se amplia e se reforça, com o surgimento da chamada *tecnociência*. De fato, desde o século XVII até meados do século XX (mais exatamente, até o final da Segunda Guerra Mundial), julgava-se que as ciências eram teorias puras que, na prática, podiam tornar-se ciências aplicadas por meio das técnicas, a maioria das quais era empregada pela economia capitalista para a acumulação e reprodução do capital. O caso mais visível desse uso de conhecimentos científicos era seu emprego na construção de máquinas para o processo de trabalho. Hoje, porém, não se trata mais de usar técnicas vindas da aplicação prática das ciências, e sim de usar e desenvolver *tecnologias*. A tecnologia surge desde o século XVII como fabricação de instrumentos de precisão que pressupõem conhecimentos científicos para serem produzidos e que, uma vez construídos, interferem no próprio conteúdo das ciências (basta pensar, por exemplo, no telescópio e na astronomia; no microscópio e na biologia; nos reagentes e na química, etc.). Em outras palavras, a tecnologia é resultado de conhecimentos científicos (por exemplo, para construir um telescópio ou um microscópio, é necessário o conhecimento da física e da óptica) e, ao mesmo tempo, condição para o avanço desses conhecimentos. A transformação da técnica em tecnologia e a absorção das ciências pelas tecnologias levou ao que hoje chamamos de *tecnociência*.

Essa palavra designa a articulação e interconexão entre técnica e ciência de tal maneira que ambas são inseparáveis e buscam os mesmos objetivos, e, sob certos aspectos, são as exigências técnicas que comandam as pesquisas científicas. Por quê? Porque a tecnociência foi instituída por grandes empresas capitalistas, que, com o modelo fordista ou a Organização, criaram laboratórios e centros de pesquisa voltados para a produção econômica. Com isso, as ciências passaram a *participar diretamente do processo produtivo*, na qualidade de forças produtivas. Essa mudança fez surgir a expressão *sociedade do conhecimento* para indicar que a economia contemporânea se funda sobre a ciência e a informação, graças ao uso competitivo do conhecimento, da inovação tecnológica e da informação nos processos produtivos e financeiros, bem como em serviços como a educação, a saúde, a cultura e o lazer.

Se agora reunirmos a Organização (ou a suposta administração racional eficaz do trabalho), a gerência científica e a tecnociência, perceberemos que a divisão social das classes está acrescida de novas divisões e que estas podem ser resumidas numa só e grande divisão: a divisão entre os que possuem poder porque possuem saber e os que não possuem poder porque não possuem saber.

Dessa maneira, em vez de falar em ideologia invisível, como propôs Lefort, decidimos falar em *ideologia da competência*, que, como toda ideologia, oculta a divisão social das classes, mas o faz com a peculiaridade de afirmar que a divisão social se realiza entre os competentes (os especialistas que possuem conhecimentos científicos e tecnológicos) e os incompetentes (os que executam as tarefas comandadas pelos especialistas). *A ideologia da competência realiza a dominação pelo descomunal prestígio e poder do conhecimento científico-tecnológico, ou seja, pelo prestígio e poder das ideias científicas e tecnológicas.*

O discurso competente pode ser assim resumido: não é qualquer um que tem o direito de dizer alguma coisa a qualquer outro em qualquer lugar e em qualquer circunstância. O discurso competente, portanto, é aquele proferido pelo especialista, que ocupa uma posição ou um lugar determinados na hierarquia organizacional, e haverá tantos discursos competentes quantas organizações e hierarquias houver na sociedade. Esse discurso opera com duas afirmações contraditórias. Numa delas, enquanto discurso da própria Organização, afirma que esta é racional e que é ela o agente social, político e histórico, de sorte que os indivíduos e as classes sociais são destituídos e despojados da condição de sujeitos sociais, políticos e históricos; a Organização é competente, enquanto os indivíduos e as classes sociais são incompetentes, objetos sociais conduzidos, dirigidos e manipulados pela Organização. Na outra afirmação, o discurso competente procura desdizer a afirmação anterior, ou seja, depois de invalidar os indivíduos e as classes sociais como sujeitos da ação, procura revalidá-los, mas o faz tomando-os como pessoas ou indivíduos privados. Trata-se do que chamaremos de competência privatizada. Vejamos como ela se realiza.

O discurso da competência privatizada é aquele que ensina a cada um de nós, enquanto indivíduos privados, como nos relacionarmos com o mundo e com os outros. Esse ensino é feito por especialistas que nos ensinam a viver. Assim, cada um de nós aprende a se relacionar com o desejo pela medição do discurso da sexologia, a se relacionar com a alimentação pela mediação do discurso da dietética ou nutricionista, a se relacionar com a criança por meio do discurso da pediatria, da psicologia e da pedagogia, a se relacionar com a Natureza pela mediação do discurso ecológico, a se relacionar com os outros pela mediação do discurso da psicologia e da sociologia, e assim por diante. Na medida em que somos invalidados como seres competentes, tudo precisa nos ser ensinado "cientificamente". Isso explica a proliferação dos livros de autoajuda, dos programas de conselhos pelo rádio e pela televisão, bem como dos programas em que especialistas nos ensinam jardinagem, culinária, maternidade, paternidade, sucesso no trabalho e no amor. Esse discurso competente exige que interiorizemos suas regras e valores, se não quisermos ser considerados lixo e detrito. Essa modalidade da competência é inteiramente absorvida pela indústria cultural e pela propaganda, que passam a vender signos e imagens, graças à invenção de um modelo do ser humano sempre jovem (graças aos cosméticos, por exemplo), saudável (por meio da "malhação", por exemplo) e feliz (graças às mercadorias que garantem sucesso).

Se reunirmos o discurso competente da Organização e o discurso competente dos especialistas, veremos que estão construídos para assegurar dois aspectos hoje indissociáveis no modo de produção capitalista: o discurso da Organização afirma que só existe racionalidade nas leis do mercado; o discurso do especialista afirma que só há felicidade na competição e no sucesso de quem a vence.

Na medida em que essa ideologia está fundada na desigualdade entre os que possuem e os que não possuem o saber técnico-científico, este se torna o lugar preferencial da competição entre indivíduos e do sucesso de alguns deles contra os demais. Isso se manifesta não só na busca do diploma universitário a qualquer custo, mas também na nova forma assumida pela universidade como organização destinada não só a fornecer diplomas, mas também a realizar suas pesquisas segundo as exigências e demandas das organizações empresariais, isto é, do capital. Dessa maneira, a universidade alimenta a ideologia da competência e despoja-se de suas principais atividades: a formação crítica e a pesquisa.

Ventos do progresso: a universidade administrada[1]

Considerando o âmbito de uma sociedade moderna, ao Estado compete rever e refortalecer os seus meios de distribuição do produto cultural... Os canais de agora terão que reproduzir o esquema dos grandes supermercados, tornando o objeto cultural sempre mais acessível... Política cultural para mim é uma ação conjugada em três níveis: o do produtor, o do distribuidor e do consumidor... Você estimula o produtor... você estimula o distribuidor... o consumo é sobretudo a formação de novas plateias.

EDUARDO PORTELLA
Ministro da Educação e Cultura, 1979-1980

Foi-lhes dado um novo lugar na sociedade, mas nem por isso os intelectuais podem desempenhar um novo papel. Porém, o que podem, precisamente, é negar-se a permanecer nele. E, para evitar as armadilhas que lhes são preparadas, nada melhor do que começar a examinar esse novo lugar que lhes foi atribuído.

CLAUDE LEFORT

[1] Esse texto foi originalmente publicado na revista *Almanaque – cadernos de literatura e ensaio*, n. 19, 1997. Retirado de *Escritos sobre a universidade*, Editora UNESP, 2000.

Analisando os movimentos estudantis de 1968 na Europa, muitos deles viram o fim da ilusão liberal, amplamente compartilhada pela esquerda, da educação como igual direito de todos e da seleção meritocrática, baseada na aptidão e no talento individuais.

Por imposição econômica, que levou ao aumento do tempo de escolarização, a fim de manter boa parte da mão de obra fora do mercado, estabilizando salários e empregos, e por imposição das transformações na divisão social do trabalho e no processo de trabalho, que levou à ampliação dos quadros técnico-administrativos,[2] a universidade europeia "se democratizou", abrindo suas portas para um número crescente de alunos que anteriormente teriam completado a escolaridade no liceu.[3] Essa "democratização" acionou um conjunto de contradições que jaziam implícitas e vieram à tona em 1968.

Em primeiro lugar, a ideologia da igualdade educacional revelou seus limites reais, pois, a partir do momento em que a maioria adquiriu a possibilidade de receber os estudos superiores, estes perderam sua função seletiva e se separaram de seu eterno corolário, isto é, a promoção social. Se todos podem cursar a universidade, a sociedade capitalista se vê forçada a repor, por meio de mecanismos administrativos e de mercado, os critérios de seleção. Isso implicou, em segundo lugar, a desvalorização dos diplomas, o aviltamento do trabalho e dos salários dos universitários e, finalmente, o puro e simples desemprego. Em terceiro lugar, e como consequência, a universidade se mostrou incapaz de produzir uma "cultura útil" (não fornecendo na realidade nem emprego, nem prestígio), incapaz de funcionalidade, tornando-se um peso morto para o Estado, que passou a lhe limitar recursos.

Essa avaliação conduziu a pelo menos três tipos de propostas alternativas. Para alguns, tratava-se de explorar da melhor forma possível a ausência de funcionalidade do ensino superior, aproveitar sua independência com relação ao mercado e criar uma cultura nova que demolisse a divisão do trabalho intelectual e manual. Para outros, tratava-se de levar avante a improdutividade do ensino superior, substituindo a

[2] Cf. BRAVERMAN, H. Trabalho *e capital monopolista – a degradação do trabalho no século XX*. Rio de Janeiro: Zahar, 1977. (Biblioteca de Ciências Sociais). Especialmente o capítulo "Trabalho produtivo e improdutivo".

[3] O liceu corresponde ao que hoje, no Brasil, chamamos de ensino médio.

ideia de cultura "útil" pela de cultura "rebelde". Para muitos, enfim, a universidade, não podendo mais pretender criar o útil e sendo, por definição e essência, incapaz de criar o rebelde, deveria ser destruída para que se desfizesse a própria ideia de universidade, isto é, de "cultura separada".[4] Ao que tudo indica, nem na França, nem na Alemanha, nem na Itália, nem na Inglaterra, nenhuma dessas propostas-previsões se cumpriu. Certamente a atual universidade europeia não reproduz exatamente o pré-1968 (as autoridades competentes aprenderam a lição), mas nem por isso a universidade acabou. Se não terminou e se, ao contrário, se transformou é porque algum papel lhe foi ainda atribuído pelo capitalismo, cuja lógica de bronze só conserva o que lhe serve. A que serve a universidade europeia do pós-1968 não saberíamos dizer, mas é certo que lhe foi dado um novo papel a desempenhar.

Paradoxalmente, no Brasil, a explosão estudantil dos idos de 1968 punha em questão o ideário liberal e autoritário, indo na direção de uma universidade crítica ("rebelde"). No entanto, ao ser reprimida pelo Estado, trouxe como consequência aquilo que teria sido, exatamente, o pré-1968 europeu: uma reforma modernizadora da universidade, que deveria, com 12 anos de atraso, levar aos mesmos resultados da Europa de 1968. Sem o charme pré-revolucionário, evidentemente.

Assim pensam muitos dos que hoje analisam a chamada "crise da universidade brasileira". Para esses, a crise é apenas o ponto de chegada de um caminho cujo traçado fora prefigurado pelas primaveras europeias. Exuberante lá, prosaico e monótono aqui.

Embora seja quase impossível falar em diferenças na atual fase do capitalismo mundial, pois existe o Mesmo na infindável proliferação de sua diversidade, talvez seja prudente começar pelo particular – a universidade brasileira – antes de tentar as comparações. Não se trata, evidentemente, de sair à procura da "especificidade nacional", pois encontraríamos apenas abstrações sem o menor proveito. Trata-se simplesmente de compreender como se realiza no Brasil um processo cujas linhas mestras são mundiais. Isso significa precisamente: como se realiza a modificação da universidade sem os recursos da democracia liberal?

[4] Cf. GORZ, A. Destruir a universidade. *Revista de Filosofia*, Departamento de Filosofia, Centro Acadêmico João Cruz Costa, FFLCH-USP, n. 1, 1974.

Quais os efeitos de uma reforma feita à sombra do Ato Institucional n. 5 e do Decreto n. 477?[5]

O fato de que atualmente, no Brasil, as universidades tenham tomado a forma de pequenos guetos autorreferidos, internamente fracionados por divisões políticas e desavenças pessoais, aumenta sua semelhança com as congêneres espalhadas mundo afora, mas não determina a identidade das causas. Contudo, é um sinal dos tempos. Creio que a universidade tenha hoje um papel que alguns não querem desempenhar, mas que é determinante para a existência da própria universidade: criar incompetentes sociais e políticos, realizar com a cultura o que a empresa realiza com o trabalho, isto é, parcelar, fragmentar, limitar o conhecimento e impedir o pensamento, de modo a bloquear toda tentativa concreta de decisão, controle e participação, tanto no plano da produção material quanto no da produção intelectual. Se a universidade brasileira está em crise, é simplesmente porque a reforma do ensino inverteu seu sentido e finalidade – em lugar de criar elites dirigentes, está destinada a adestrar mão de obra dócil para um mercado sempre incerto. E ela própria ainda não se sente bem treinada para isso, donde sua "crise".

[5] **Ato Institucional n. 5:** Foi redigido pelo ministro da Justiça Gama e Silva e baixado pelo General Costa e Silva (então presidente da república) no dia 13 de dezembro de 1968. O Poder Executivo passou a ter prerrogativa de: 1. fechar o Congresso Nacional, Assembleias Legislativas Estaduais e Câmaras Municipais; 2. cassar mandatos eletivos federais, estaduais e municipais; 3. suspender direitos políticos de qualquer cidadão pelo prazo de 10 anos. Essa suspensão significava: ter suspenso o direito de votar e ser votado em eleições gerais e em eleições sindicais; ser proibido de exercer atividades e de se manifestar em assuntos de natureza política; ser colocado em liberdade vigiada e com domicílio determinado, e ser proibido de frequentar determinados lugares. O Ai-5 colocou em prática a prisão sem garantia de *habeas corpus* (portanto, com tortura e morte dos prisioneiros) para crimes considerados contrários à segurança nacional e instituiu a censura prévia à imprensa, ao teatro, ao cinema e à música. Esteve em vigência durante 10 anos, sendo revogado em 1º de janeiro de 1979.

Decreto 477: também chamado de "A1-5 das universidades", foi baixado pelo General Costa e Silva em 26 de fevereiro de 1969, estabelecendo punições para professores, estudantes e funcionários acusados de subversão contra o regime. Por meio de processo interno sumário, o estudante considerado culpado era expulso e ficava proibido de ingressar em qualquer universidade durante três anos. Para determinar a subversão, comissões universitárias examinavam programas e bibliografias dos cursos e exerciam censura prévia das atividades de docência e pesquisa.

Diretrizes da reforma universitária

Realizada a partir de 1968 para resolver a "crise estudantil", a reforma universitária foi feita sob a proteção do Ato Institucional n. 5 e do Decreto n. 477, tendo como pano de fundo uma combinação do Relatório Atacon, de 1966, e do Relatório Meira Mattos, de 1968. O primeiro preconizava a necessidade de encarar a educação como um fenômeno quantitativo que precisa ser resolvido com máximo rendimento e mínima inversão, sendo o caminho adequado para tal fim a implantação de um sistema universitário baseado no modelo administrativo das grandes empresas "com a direção recrutada na comunidade empresarial, atuando sob sistema de administração gerencial desvinculada do corpo técnico-científico e docente".[6] O segundo preocupava-se com a falta de disciplina e de autoridade, exigindo a recondução das escolas superiores ao regime de nova ordem administrativa e disciplinar; refutava a ideia de autonomia universitária, que seria o privilégio para ensinar conteúdos prejudiciais à ordem social e à democracia; e interessava-se pela formação de uma juventude realmente democrática e responsável que, ao existir, tornaria viável o reaparecimento das entidades estudantis de âmbito nacional e estadual. O Relatório Meira Mattos propõe uma reforma com objetivos práticos e pragmáticos, que sejam "instrumento de aceleração do desenvolvimento, instrumento do progresso social e expansão de oportunidades, vinculando a educação aos imperativos do progresso técnico, econômico e social do país".[7]

Momentaneamente convertida em problema político e social prioritário, a universidade será reformada para erradicar a possibilidade de contestação interna e externa e para atender às demandas de ascensão e prestígio sociais de uma classe média que apoiara o golpe de 1964 e reclamava sua recompensa. O Ato n. 5 e o Decreto n. 477, inspirados no Relatório Meira Mattos, cumpriram a primeira tarefa. A reforma da universidade cumpriu a segunda, ampliando o acesso da classe média ao ensino superior. Como essa proeza deveria ser levada a cabo com o

[6] BAER, W. O crescimento brasileiro e a experiência desenvolvimentista. *Revistas Estudos Cebrap*, n. 20, p. 17, 1977.

[7] CHAUI, M. de S. A reforma do ensino. *Revista Discurso*, n. 8, 1977.

"máximo rendimento" e a "mínima inversão", vale a pena relembrar como isso foi de fato conseguido.

Uma primeira modificação importante foi a departamentalização. No antigo projeto da Universidade de Brasília, concebido por Darcy Ribeiro, a departamentalização tinha por finalidade democratizar a universidade, eliminando o poder das cátedras e transferindo para o corpo docente o direito às decisões. Na reforma, departamentalização significou outra coisa. Consistiu em reunir num mesmo departamento todas as disciplinas afins, de modo a oferecer cursos num mesmo espaço (uma única sala de aula), com o menor gasto material (desde o giz e o apagador até mesas e carteiras) e sem aumentar o número de professores (um mesmo professor devendo ministrar um mesmo curso para maior número de alunos). Além de diminuir os gastos, a departamentalização facilita o controle administrativo e ideológico de professores e alunos.

Outra modificação foi a matrícula por disciplina (o curso parcelado e por créditos), que leva a uma divisão das disciplinas em obrigatórias e optativas, mas fazendo com que as obrigatórias para um aluno possam ser optativas para outro, de modo que alunos de cursos diferentes possam seguir a mesma disciplina, ministrada na mesma hora pelo mesmo professor numa mesma sala de aula. Segundo o texto da reforma, essa operação visa aumentar a "produtividade" do corpo docente, que passa a ensinar as mesmas coisas para maior número de pessoas.

Foi inventado o curso básico. No texto da reforma, a justificativa para sua implantação é o melhor aproveitamento da "capacidade ociosa" de certos cursos, isto é, ainda daqueles cursos que recebem poucos estudantes e dão prejuízo ao Estado, além de evitar o crescimento do corpo docente naqueles cursos que recebem grande quantidade de alunos e que exigiriam a contratação de maior número de professores. Ocupando vários professores dos cursos "ociosos" no básico, o prejuízo desaparece e não há necessidade de gastos com outras contratações. Além dessa finalidade, o básico ainda possui outra, qual seja, a de se tornar o verdadeiro vestibular, interno e dissimulado, propenso a causar menos celeuma do que o vestibular explícito. Assim, enquanto o vestibular permite aumentar o número dos que acedem à universidade, controlando os riscos sociais da insatisfação, o básico seleciona os estudantes segundo um critério que todos consideram perfeitamente justo, isto é, o do aproveitamento.

A unificação do vestibular por região e o ingresso por classificação tiveram a finalidade de permitir o preenchimento de vagas em cursos poucos procurados, forçando o aluno à opção, quando não o força a matricular-se nas escolas particulares, que, sem tal recurso, seriam menos procuradas. O curso básico e o vestibular unificado produzem o que a reforma do ensino denomina "unificação do mercado de ensino universitário". Por seu turno, o vestibular classificatório visa impedir as reivindicações de estudantes aprovados, porém com médias baixas, deixando por conta das "opções" a tarefa de controlar "possíveis tensões da demanda", ao mesmo tempo que torna o gasto estatal proporcionalmente baixo para atender a essa demanda.

A fragmentação da graduação, dispersando estudantes e professores, visa impedir a existência acadêmica sob a forma da comunidade e da comunicação – não há "turmas", e sim conglomerados humanos que se desfazem ao final de cada semestre. Por outro lado, as licenciaturas curtas em ciências, estudos sociais e comunicação e expressão permitem, a curto prazo, satisfazer a demanda crescente dos estudantes e mantê-los por pouco tempo nas escolas, diminuindo gastos, enquanto, a longo prazo, aumentando a oferta de mão de obra para os cursos do ensino médio, garantem a baixa renumeração do professorado desse nível de ensino.

Enfim, a institucionalização da pós-graduação, ao recuperar a verticalidade do ensino universitário, repõe a discriminação socioeconômica que fora abrandada na graduação. Sua finalidade aparente é a formação de pesquisadores de alto nível, de professores universitários e de mão de obra altamente qualificada para as burocracias empresariais e estatais. Sua finalidade real, porém, é bem outra. Por seu intermédio, a expansão do ensino universitário é contida ao mesmo tempo que permite, no interior da universidade, comandar a carreira e, portanto, a estrutura de poder e de salários, enquanto, fora da universidade, além de conferir prestígio simbólico, discrimina a oferta de trabalho: o pós-graduado, além de mais bem-renumerado, lança o graduado na condição de diplomado degradado – um peão universitário.

Essa descrição, bastante sumária, da reforma da universidade torna visíveis pelo menos dois aspectos relevantes.

Em primeiro lugar, o significado da chamada "massificação". Costumamos dizer que houve massificação do ensino universitário porque aumentou o número de estudantes e abaixou o nível dos cursos, rebaixamento que se deve não apenas à desproporção entre corpo docente e quantidade de alunos, mas também ao estado de degradação do ensino médio. O fato de que o elemento quantitativo predomina sobre todos os aspectos (desde a proporção inteiramente arbitrária que se estabelece entre o número de alunos por professor, sem nenhuma consideração sobre a natureza do curso a ser ministrado, até o sistema de créditos por horas-aula) é suficiente para aquilatarmos a massificação. Porém, há um ponto que nossas análises costumam deixar na sombra, a saber, que a ideia de massificação tem como pressuposto uma concepção elitista do saber. Com efeito, se a reforma pretendeu atender às demandas sociais por educação superior, abrindo as portas da universidade, e se com a entrada das "massas" na universidade não houve crescimento proporcional da infraestrutura de atendimento (bibliotecas, laboratórios) nem do corpo docente, é porque está implícita a ideia de que para a "massa" qualquer saber é suficiente, não sendo necessário ampliar a universidade de modo a fazer com que o aumento da quantidade não implicasse diminuição da qualidade.

Em segundo lugar, torna-se visível que a educação passou a ser um negócio do Ministério do Planejamento, muito mais do que um assunto do Ministério de Educação e Cultura. Ou melhor, este último é um mero apêndice do primeiro.

Perfil da universidade

Examinando as ideias que nortearam a reforma do ensino, em geral, e da universidade, em particular, percebemos que três delas nunca foram abandonadas nos sucessivos remanejamentos educacionais. Foram sempre mantidas aquelas ideias que vinculam a educação à segurança nacional, ao desenvolvimento econômico nacional e à integração nacional, ou seja, os três pilares que sustentaram a ditadura política e ideologicamente. Enquanto a ideia de segurança deixa nítida a dimensão política da escola, sendo frequentemente substituída, nos ensino fundamental e médio, pelas de civismo e brasilidade, enquanto no ensino superior surge como discussão de problemas brasileiros, as outras duas ideias assinalam a dimensão econômica da educação. Assim, a noção de segurança terá um papel ideológico definido, enquanto as de desenvolvimento econômico e de integração determinarão a forma, o conteúdo, a duração, a quantidade e a qualidade de todo o processo educacional, do primeiro grau à universidade.

Se, outrora, a escola foi o lugar privilegiado para a reprodução da estrutura de classes, das relações de poder e da ideologia dominante, e se, na concepção liberal, a escola superior se distinguia das demais por ser um bem cultural das elites dirigentes, hoje, com a reforma do ensino, a educação é encarada como adestramento de mão de obra para o mercado. Concebida com o capital, é um investimento e, portanto, deve gerar lucro social. Donde a ênfase nos cursos profissionalizantes do ensino médio e nas licenciaturas curtas ou longas em ciências, estudos sociais e comunicação e expressão, no caso das universidades.

Além de evidenciar as determinações econômicas da educação, as ideias de desenvolvimento econômico nacional e de integração nacional possuem uma finalidade ideológica, isto é, legitimar perante a sociedade a concepção do ensino e da escola como capital. Afirmando-se que a educação é fator primordial de desenvolvimento econômico da nação, afirma-se que, a longo prazo, ela beneficia igualmente a todos e que seu crescimento bruto é, em si e por si, índice de democratização. Afirmando-se que a educação é fator de integração nacional, afirma-se que ela racionaliza e unifica a vida social, moderniza a nação, gerando progresso que, a longo prazo, beneficia igualmente a todos. Como o desenvolvimento é nacional, a dimensão de classe da educação é anulada. Como a integração é nacional, a reprodução das relações de classe pela mediação da estrutura ocupacional definida pela escolarização também é ocultada.

Desvinculando educação e saber, a reforma da universidade revela que sua tarefa não é produzir e transmitir a cultura (dominante ou não, pouca importa), mas treinar os indivíduos a fim de que sejam produtivos para quem for contratá-los. A universidade adestra mão de obra e fornece força de trabalho.

Por outro lado, com a subordinação da universidade ao Ministério do Planejamento, o ensino superior passa a funcionar como uma espécie de "variável flutuante" do modelo econômico, que ora é estimulada com investimentos, ora é desativada por cortes de verbas, segundo critérios totalmente alheios à educação e à pesquisa, pois determinados exclusivamente pelo desempenho do capital. Sob esse aspecto, educação e cultura voltam a ser vinculadas: a cultura também passa a ser tomada como investimento e consumo, variável do Planejamento. E é pensada dessa maneira; os pronunciamentos do ministro da Educação, que servem de epígrafe a este texto, o comprovam sobejamente.

Muitos têm contestado essa interpretação, alegando que a universidade não cria força de trabalho nem adestra mão de obra pelo simples fato de que tal função é preenchida rápida e eficazmente pelas empresas contratantes, capazes de criar em pouco tempo e a baixo custo a mão de obra de que precisam. Nessa perspectiva, a universidade, além de ter perdido sua antiga função ideológica e política (isto é, do saber como prestígio de uma elite dirigente), também não teria adquirido uma função econômica, sendo uma instituição anacrônica, um peso morto nas costas do Estado, um elemento irracional, e não um fator de racionalização. Por outro lado, ela seria politicamente indesejável para o Estado, na medida em que os dirigentes não saem dos quadros letrados, mas de outros segmentos sociais. Aliás, por estar desprovida de toda e qualquer função, a universidade se torna um foco permanente de frustrações e de ressentimentos, de modo que sua falta de sentido econômico, aliada à sua falta de expressão política, a encerra numa rebeldia potencial e sem futuro. Ampliada para receber os filhos da classe média, a universidade não lhes oferece vantagens materiais nem prestígio social. Desemprego, desistência e evasão – eis as provas do "não-senso" universitário.

Não creio ser possível concordar plenamente com essa análise porque ela parece perder de vista a articulação entre o econômico e o político por não haver uma relação imediatamente funcional entre ambos e porque ela parece supor, um pouco à maneira dos progressistas, que só tem função econômica aquilo que permite avanço político, e vice-versa. Além disso, parece haver nessa análise uma certa confusão entre a antiga universidade de cunho liberal e a reformada, incapaz de realizar as finalidades da primeira – o que, afinal, não é espantoso, mas necessário.

A universidade liberal, de fato, tornou-se anacrônica e indesejável no Brasil. Baseada na ideia de elites intelectuais dirigentes, de formação e condução do espaço público como espaço de opiniões, de equalização social por meio da escola, de racionalidade da vida social pela difusão da cultura, a universidade liberal, como a Faculdade de Filosofia, Ciências e Letras da Universidade de São Paulo, está agonizando. É sua agonia prolongada que aparece como crise. É sua modernização a toque de caixa que a faz aparecer como irracional e inútil, incapaz de atender às exigências de mercado, criando os futuros desempregados.[8] Mas isso não significa, de modo algum, que a determinação econômica da universidade reformada seja inexistente, pois até mesmo a oscilação entre seu financiamento e sua desativação intermitentes nas mãos do Planejamento é sinal seguro de sua importância variável no quadro do modelo econômico. Dizer que o financiamento e a desativação são alheios à educação e à pesquisa como tais não implica eliminar a existência econômica de ambas. Pelo contrário, a dependência orçamentária mostra ser essa uma de suas únicas formas de existência. Não é possível desvincular a implantação das licenciaturas (curtas e, agora, longas) em ciências, estudos sociais e comunicação e expressão e as funções econômicas da universidade.

Em segundo lugar, é importante lembrar que a falta imediata de empregos para os licenciados não significa ausência de determinação econômica, a menos que consideremos extraeconômica a criação de um exército letrado de reserva. Negar que a universidade adestre mão de obra é não perceber o significado preciso desse adestramento: a difusão e expansão do ensino médio, encarregado inicialmente dessa tarefa, por ter sido acompanhada da ampliação do ensino superior, por razões políticas muito mais do que econômicas, levou a transferir para a universidade uma parcela das atribuições do ciclo médio profissionalizante, pois os empregadores passam a fazer exigências maiores aos candidatos a empregos, não em decorrência de uma necessidade real de instrução avançada, mas simplesmente em decorrência da disponibilidade de diplomados. Assim, por bem ou por mal, a universidade está encarregada de um treinamento genérico e prévio que será completado e especializado pelas empresas.

Quando se alega que a universidade não treina mão de obra, pois quem o faz realmente é a empresa, imagina-se implicitamente

[8] Entrevistado no Canal 2, da TV Cultura de São Paulo, o reitor da USP Waldir Oliva afirmou que o problema do desemprego ou da falta de mercado de trabalho para os universitários licenciados pode ser resolvido pelo remanejamento das vagas, isto é, cursos cuja oferta é superior à demanda do mercado de trabalho deverão ter o mínimo de vagas diminuído, enquanto cursos com grande oferta devem ter o número de vagas ampliado.

que, para possuir verdadeira função econômica, a universidade deveria formar até o fim a força de trabalho intelectual, coisa que ela não é capaz de fazer. Com isso, perde-se o nervo da questão, ou seja, o modo peculiar de articulação entre o econômico e o político: *a universidade, exatamente como a empresa, está encarregada de produzir incompetentes sociais, presas fáceis da dominação e da rede de autoridades.* A universidade adestra sim, como a empresa também o faz. O fato de que a formação universitária possa ser encurtada e simplificada e que a empresa possa "qualificar" em algumas horas ou em alguns dias prova simplesmente que quanto mais cresce o acervo cultural e tecnológico, assim como o próprio saber, *tanto menos se deve ensinar e tanto menos se deve aprender.* Já que, do contrário, a universidade, em particular, e a educação, em geral, ofereceriam aos sujeitos sociais algumas condições de controle de seu trabalho, algum poder de decisão e de veto, e alguma concreticidade à reivindicação de participação (seja no processo educativo, seja no processo de trabalho). Ignorar que adestramento e treinamento, só porque nem sempre equilibram oferta e procura no mercado de empregos, são procedimentos econômicos e políticos destinados à exploração e à dominação é ignorar o novo papel que foi destinado ao trabalho universitário.

Apêndice do Ministério do Planejamento, a universidade está estruturada segundo o modelo organizacional da grande empresa, isto é, tem o rendimento como fim, a burocracia como meio e as leis do mercado como condição. Isso significa que nos equivocamos quando reduzimos a articulação universidade-empresa ao polo do financiamento de pesquisas e do fornecimento de mão de obra, pois a universidade encontra-se internamente organizada conforme o modelo da grande empresa capitalista. Assim sendo, além de participar da divisão social do trabalho, que separa trabalho intelectual e manual, a universidade ainda realiza em seu próprio interior uma divisão do trabalho intelectual, isto é, dos serviços administrativos, das atividades docentes e da produção de pesquisas.

A fragmentação da universidade ocorre em todos os níveis, tanto nos graus do ensino quanto nos da carreira, tanto nos cargos administrativos e docentes quanto nos de direção. O taylorismo é a regra. Isso significa, em primeiro lugar, que a fragmentação não é casual ou irracional, mas deliberada, pois obedece ao princípio da empresa capitalista moderna: separar para controlar. Em segundo lugar, significa que a fragmentação do ensino e da pesquisa é o corolário de uma fragmentação imposta à cultura e ao trabalho pedagógico pelas ideias de especialização e de competência, e sobretudo que a reunificação do dividido não se fará por critérios intrínsecos ao ensino ou à pesquisa, mas por determinações extrínsecas, ou seja, pelo rendimento e pela eficácia. Em terceiro lugar, a imposição deliberada de uma vida cultural fragmentada, fundada na radical separação entre decisão e execução, conduz a uma unificação bastante precisa: a administração burocrática. O que caracteriza a burocracia é a hierarquia funcional de salários e de autoridade, um sistema de poder no qual cada um sabe quem o comanda diretamente e a quem comanda diretamente, sem que seja possível uma visão do conjunto e a determinação de responsabilidades. Por seu turno, a administração, forma contemporânea da racionalidade capitalista, implica a total exterioridade entre as atividades universitárias de ensino e pesquisa e sua direção ou controle.

Com efeito, no mundo contemporâneo, universo de equivalências mercantis, em que tudo vale por tudo e nada vale por nada, administrar significa simplesmente impor a não importa qual realidade, objeto ou situação o mesmo conjunto de princípios, normas e preceitos cujo formalismo vazio se aplica em tudo quanto se queira. Do ponto de vista administrativo, não havendo especificidades nem diferenças, tudo que existe é, de fato e de direito, homogêneo e subordinável às mesmas diretrizes. Nessa perspectiva, não há a menor diferença entre a Volkswagen, a Petrobras ou a universidade.

Submetendo a universidade à administração burocrática, o modelo organizacional permite, enfim, a separação entre os dirigentes universitários e o corpo de professores, alunos e funcionários. De fato, os altos escalões administrativos das universidades públicas não diferem de seus congêneres nas universidades particulares, embora nestas últimas haja pelo menos a vantagem da visibilidade dos laços entre direção e propriedade. Nas universidades públicas, o cerimonial burocrático obscurece um aspecto essencial, ou seja, que os dirigentes só em aparência pertencem ao corpo universitário (são professores, em geral), quando, na realidade, são prepostos do Estado no interior da universidade. Dessa maneira, a unificação administrativa e burocrática da universidade significa, além da exterioridade entre direção e educação/cultura, a presença da tutela e vigilância estatais determinando a natureza do trabalho a ser executado. Ligados ao aparelho do Estado e desligados da coletividade universitária, os órgãos dirigentes reduzem o corpo docente, discente e de funcionários à condição passiva de executantes de ordens superiores cujo sentido e finalidade devem permanecer secretos, pois é do sigilo que a burocracia recebe poder.

Podemos, então, caracterizar a universidade pública brasileira como uma realidade completamente heterônoma. A heteronomia é econômica (orçamento, dotações, bolsas, financiamentos de pesquisas, convênios com empresas não são decididos pela própria universidade), é educacional (currículos, programas, sistemas de créditos e de frequência, formas de avaliação, prazos, tipos de licenciaturas, revalidação de títulos e de diplomas, vestibulares e credenciamento dos cursos de pós-graduação não são decididos pela universidade), é cultural (os critérios para fixar graduação e pós-graduação, a decisão quanto ao número de alunos por classe e por professor, o julgamento de currículos e títulos, a forma da carreira docente e de serviços são critérios quantitativos determinados fora da universidade), é social e política (professores, estudantes e funcionários não decidem quanto aos serviços que desejam prestar à sociedade nem decidem a quem vão prestá-los, de modo que a decisão quanto ao uso do instrumental cultural produzido ou adquirido não é tomada pela universidade). A afirmação da autonomia universitária ora é uma burla safada, ora um ideal impossível.

Universidade e cultura

Posta pela divisão social do trabalho do lado "improdutivo", na sociedade capitalista a cultura deverá, de algum modo, compensar essa "improdutividade". A compensação, efetuada de várias maneiras, resulta sempre no mesmo, ou seja, na instrumentalização da produção cultural.

Grosso modo, existem três formas imediatas e visíveis de instrumentalização da cultura: aquela efetuada pela educação, tanto para reproduzir relações de classe e sistemas ideológicos quanto para adestrar mão de obra para o mercado; aquela que transforma a cultura em coisa valiosa em si e por si, numa reificação que esgota a produção cultural na imagem do prestígio de quem a faz e de quem a consome; e aquela conseguida por meio da indústria cultural, que, além de vulgarizar e banalizar as obras culturais, conserva a mistificação da cultura como valor em si, ao mesmo tempo que veda seu acesso real à massa dos consumidores.

Há, porém, duas outras maneiras de instrumentalizar a cultura, mais sutis e perigosas. A primeira, partindo da indústria cultural, consiste em convencer cada indivíduo de que estará fadado à exclusão social se cada uma de suas experiências não for precedida de informações competentes que orientem sua ação, seus sentimentos, desejos e fins. A cultura se transforma em guia prático para viver corretamente (orientando a alimentação, a sexualidade, o trabalho, o gosto, o lazer) e, consequentemente, em poderoso elemento de intimidação social. A segunda consiste em confundir conhecimento e pensamento. Conhecer é apropriar-se intelectualmente de um campo dado de fatos ou de ideias que constituem o saber estabelecido. Pensar é enfrentar pela reflexão a opacidade de uma experiência nova cujo sentido ainda precisa ser formulado e que não está dado em parte alguma, mas precisa ser produzido pelo trabalho reflexivo, sem outra garantia senão o contato com a própria experiência. O conhecimento se move na região do instituído; o pensamento, na do instituinte.

A universidade brasileira está encarregada dessa última forma de instrumentalização da cultura. Reduz toda a esfera do saber à do conhecimento, ignorando o trabalho do pensamento. Limitando seu campo ao do saber instituído, nada mais fácil do que dividi-lo, dosá-lo, distribuí-lo e quantificá-lo. Em uma palavra: administrá-lo.

No entanto, quando nos acercamos das queixas feitas pelos universitários no tocante à produção cultural, as discussões enveredam por outros caminhos.

Assim, no que tange à área de produção científica ligada à tecnologia, afirma-se que o sistema econômico é de tal modo dependente que bloqueia toda pesquisa autônoma, forçando a universidade a se limitar ao adestramento de aplicadores do *know-how* estrangeiro.

Na área das humanidades, afirma-se que o sistema socioeconômico é de tal modo avesso à própria ideia de cultura, está a tal ponto imerso no puro tecnicismo que anula o sentido das humanidades, relegadas à condição de ornamento ou de anacronismo tolerado.

No que concerne à adequação entre universidade e sociedade, muitos se sentem fascinados pela modernização, isto é, pela racionalidade administrativa e pela eficácia quantitativa, opondo-se àqueles que lamentam o fim de uma universidade onde ensinar era uma arte e pesquisar, a tarefa de uma vida.

Essas observações, que exprimem o desencanto dos universitários como produtores de cultura, embora verdadeiras, são parciais.

É bastante duvidoso, por exemplo, identificar autonomia cultural e autonomia nacional, não só porque essa identificação abre comportas para ideologias nacionalistas (em geral, de cunho estatista), mas sobretudo porque obscurece o essencial: por um lado, a divisão em classes da sociedade brasileira, e, por outro, o capitalismo como fenômeno mundial que determina suas formas particulares de realização pela mediação do Estado nacional. Sem dúvida, a heteronomia econômica é real, mas não porque haja dependência, e sim porque há a lógica própria do imperialismo como capitalismo do capital financeiro que abole inteiramente qualquer possibilidade de autonomia nacional – seja para o "centro", seja para a "periferia" do sistema. O fundamental não é indagar "que pesquisas científicas servem ao Brasil?", mas "a quem, no Brasil, servem as pesquisas científicas?".

A oposição muito imediata entre humanismo e tecnicismo também pode revelar-se um tanto ilusória. Não podemos nos esquecer de que o humanismo moderno nasce como ideal de domínio técnico sobre a natureza (pela ciência) e sobre a sociedade (pela política), de sorte que o chamado "homem ocidental moderno" não é a negação do tecnocrata, mas um de seus ancestrais. O homem moderno, na qualidade de sujeito do conhecimento e da ação, é movido pelo desejo de dominação prática sobre a totalidade do real. Para tanto, precisa elaborar a ideia da objetividade desse real a fim de torná-lo susceptível de domínio, controle, previsão e manipulação. Na condição de sujeito do conhecimento, isto é, de consciência instituidora de representações, o homem moderno cria um conjunto de dispositivos teóricos e práticos, fundados na ideia moderna de objetividade como determinação completa do real, possibilitando a realização do adágio baconiano: "saber é poder". Se a ciência e a técnica manipulam as coisas, "recusando-se a habitá-las",[9] é porque foram convertidas em

[9] MERLEAU-PONTY, M. *L'oeil et l'espirit*. Paris: Gallimard, 1964, p. 9.

objetividade, isto é, em representações controláveis, e essas representações são um feito do sujeito moderno. Ora, para se tornar sujeito das representações e dos dispositivos práticos, foi preciso que o homem moderno se desse um lugar. O sujeito, como constituidor das representações, ocupa o lugar do puro observador, isto é, instala-se num polo separado das coisas e, graças a essa separação, pode dominá-las. Consciência soberana, porque destacada dos objetos, o homem ocupa exatamente o mesmo tipo de lugar (separado e externo) que, na sociedade moderna, ocupam o poder e sua figuração, o Estado. O lugar do poder, no mundo moderno, é o lugar separado. Instalando-se como polo separado das coisas, o sujeito dá a si mesmo a marca própria do moderno poder. É esse o sentido profundo do adágio baconiano, pois Bacon dizia que a melhor maneira de dominar a natureza era começar por obedecer-lhe, definindo, portanto, a relação de conhecimento e a relação técnica como relação de mando e submissão, isto é, sob a forma da dominação. Assim, opor de maneira muito imediata humanismo e tecnicismo não leva muito longe, pois são resultados diversos da mesma origem. Para que a oposição humanidades/tecnocracia adquirisse um novo sentido, seria preciso, talvez, um pensamento novo para o qual a subjetividade, a objetividade, a teoria e a prática fossem questões abertas, e não soluções já dadas. Um pensamento que, abandonando o ponto de vista da consciência soberana, pensasse na fabricação das consciências e das relações sociais e estivesse sempre atento para o problema da dominação do homem sobre o homem e que se chama: luta de classes.

Retomando meu ponto de partida, eu ousaria dizer que não somos produtores de cultura somente porque somos economicamente "dependentes" ou porque a tecnocracia devorou o humanismo, ou porque não dispomos de verbas suficientes para transmitir conhecimentos, mas sim porque a universidade está estruturada de tal forma que sua função seja: *dar a conhecer para que não se possa pensar.* Adquirir e reproduzir para não criar. Consumir, em lugar de realizar o trabalho da reflexão. Porque conhecemos para não pensar, tudo quanto atravessa as portas da universidade só tem direito à entrada e à permanência se for reduzido a um conhecimento, isto é, a uma representação controlada e manipulada intelectualmente. É preciso que o real se converta em coisa morta para adquirir cidadania universitária.

Dessa situação resultam algumas consequências que convém examinar.

Do lado do corpo docente, leva à adesão fascinada à modernização e aos critérios do rendimento, da produtividade e da eficácia. Para muitos de nós, que não aderimos à mística modernizadora, parece incompreensível a atitude daqueles colegas que se deixam empolgar pela contagem de horas-aulas, dos créditos, dos prazos rígidos para conclusão de pesquisas, pela obrigatoriedade de subir todos os degraus da carreira (que são degraus burocraticamente definidos), do dever da presença física nos *campi* (para demonstrar prestação de serviço), pela confiança nos critérios quantitativos para exprimir realidades qualitativas, pela corrida aos postos e aos cargos. Para muitos, a adesão ao "moderno" aparece como abdicação do espírito de cultura. Não é bem verdade. Aqueles que aderiram ao mito da modernização simplesmente interiorizaram as vigas mestras da ideologia burguesa: do lado objetivo, a aceitação da cultura pelo viés da razão instrumental, como construção de modelos teóricos para aplicações práticas imediatas; do lado subjetivo, a crença na "salvação pelas obras", isto é, a admissão de que o rendimento, a produtividade, o cumprimento dos prazos e créditos, o respeito ao livro de ponto, a vigilância sobre os "relapsos", o crescimento do volume de publicações (ainda que sempre sobre o mesmo tema, nunca aprofundado porque apenas reescrito) são provas de honestidade moral e seriedade intelectual. Para boa parte dos professores, além do benefício dos financiamentos e convênios, a modernização significa que, enfim, a universidade se tornou útil e, portanto, justificável. Realiza a ideia contemporânea da racionalidade (administrativa) e alberga trabalhadores honestos. Em que pese a visão mesquinha da cultura aí implicada, a morte da arte de ensinar e do prazer de pensar, esses professores se sentem enaltecidos pela consciência do dever cumprido, ainda que estúpido. Evidentemente, não entram aqui os casos de pura e simples má-fé – isto é, dos colegas que usam a universidade não tanto para ocultar sua incompetência, mas para vigiar e punir os que ousam pensar.

Do lado dos estudantes, a tendência é oposta. Recusando a razão instrumental, a maioria dos estudantes se rebela contra a estupidez modernizante, e essa rebelião costuma assumir duas formas: a valorização imediata do puro sentimento contra a falsa objetividade do conhecimento, ou a transformação da Tese 11 contra Feuerbach[10] em palavra de ordem salvadora, pedra de toque contra a impotência universitária. Embora compreensíveis, essas atitudes não deixam de ser preocupantes.

A valorização imediatista e absolutizadora do sentimento sempre foi uma arma poderosa para políticas fascistas que promovem a exacerbação dos afetos, mas impedem sua elaboração reflexiva, gerando, com isso, frustrações que permitem canalizar a vida afetiva para conteúdos políticos determinados. À política fascista interessa a explosão dos sentimentos desde que possa impedir seu fluxo e curso naturais, desviando-os para objetivos determinados pelo poder. Este passa, então, a manipulá-los segundo suas regras e desígnios, entre os quais ocupam lugar privilegiado a infantilização, necessária ao culto da autoridade, e o medo, necessário para a prática do terror. O sentimento comunitário, construído sobre a "imediatidade" dos afetos, sem elaboração e sem reflexão, transforma-se em sentimento gregário, numa passividade agressiva, pronta a investir contra tudo quanto surja como outro, pois quem estiver fora do agregado só pode ser seu inimigo. Som e fúria, dependência e agressão, medo e apego à autoridade – esse costuma ser o saldo de uma realidade constituída apenas por manipuladores e manipulados.

Quanto ao apego dogmático e igualmente imediatista à Tese 11, é certo que também resulta em autoritarismo. Este pressupõe um saber já dado (a "teoria" como modelo explicativo acabado), uma prática já dada (os efeitos passados erigidos em ações exemplares a imitar ou evitar), um discurso já dito (as palavras de ordem de "eficácia" comprovada). O autoritarismo, erguido sobre o já sabido, já feito e já proferido, inutiliza a necessidade de pensar, aqui e agora. A defesa dogmática da Tese 11 (além de despojá-la do contexto histórico e prático que lhe dava sentido) supõe a admissão da inutilidade do pensamento e da reflexão na compreensão do real, levando à crença na possibilidade de passar imediatamente à sua transformação, porque

[10] Nas *Teses contra Feuerbach*, Marx examina a crítica de Feuerbach às filosofias idealistas abstratas e a maneira como propõe o conceito de alienação (entendida como alienação religiosa ou a invenção de uma divindade na qual os homens não se reconhecem). Todavia, julga Marx, o materialismo de Feuerbach ainda é filosófico e por isso também abstrato. A última tese, a Tese n. 11, anuncia: "Até hoje, os filósofos se limitaram a interpretar o mundo de maneiras diferentes; cabe, agora, transformá-lo". Trata-se de um convite à ação.

já existiria, pronta e acabada, a explicação definitiva – uma "ciência", costuma-se dizer – à espera de aplicação. Sob o ativismo transformista esconde-se o medo de enfrentar o real como algo a ser compreendido e que, sendo histórico, está sempre na encruzilhada do saber e do não saber. Abdicando da necessidade de pensar, de desentranhar o sentido de uma experiência nova e os caminhos de uma ação por fazer, os estudantes tendem a reduzir o trabalho teórico à repetição *ad nauseam* de modelos abstratos e a prática à aplicação mecânica desses modelos, sob a forma de táticas e estratégias. Dessa maneira, não é apenas o trabalho do pensamento que se perde, mas a própria ideia da ação como práxis social, uma vez que a atividade, longe de ser a criação de um possível histórico, se consome numa pura técnica de agir circunscrita ao campo do provável e do previsível.

A difícil questão: universidade democrática

Trata-se, aqui, de universitários, de homens que profissionalmente se encontram, de algum modo, em íntima relação com combates espirituais, com as dúvidas e as críticas dos estudantes. Esses universitários procuram garantir, como lugar de trabalho, um meio completamente estranho, cortado dos demais e, no isolamento, exercem uma atividade limitada, cuja totalidade consiste em realizar uma universidade abstrata... Nenhum laço é criado com os outros – nem com os universitários, nem com os estudantes, nem com os trabalhadores. Há, quando muito, o laço do dever ou da obrigação, pela qual se ministram cursos ou se faz assistência social, mas nenhum trabalho próprio e íntimo. Apenas o sentimento do dever, derivado e limitado, que não nasce do próprio trabalho. O laço com o outro, reduzido ao dever, é uma ação realizada sem a paixão por uma verdade percebida no doloroso escrúpulo do pesquisador, numa disposição de espírito ligada à vida, mas num absoluto contraste mecânico entre o teórico e o prático.

Walter Benjamin

Diante da escalada do "progresso" (entendido como organização administrativa e administrada da universidade), vem sendo erguida uma barreira para contê-la e, se possível, revertê-la. Essa barreira é a ideia de uma universidade democrática.

Por toda parte têm surgido, entre professores, estudantes e funcionários, propostas e práticas visando à democratização da universidade. Do lado dos professores, os esforços têm se concentrado em duas direções principais: o fortalecimento das associações docentes como poder de pressão e o veto ante a burocracia universitária, e a luta pela diminuição da autoridade hierárquica pelo aumento da representação docente, discente e funcional nos órgãos colegiados e nos centros de decisão.

Por meio da pressão e da reivindicação por maior representação, sobretudo para os graus mais baixos da carreira, os professores têm se empenhado pelo direito de conhecer e controlar os orçamentos universitários e, na defesa da liberdade de ensino e pesquisa, denunciam a triagem ideológica e a desvalorização do trabalho docente de investigação pelos critérios da quantidade. Assim, contra a burocracia administrativa, temos proposto o reforço dos parlamentos universitários; contra a falta de autonomia econômica, a abertura e o controle de orçamentos e verbas; e, enfim, contra a falta de autonomia cultural, a liberdade de ensino e de pesquisa e o critério da qualidade.

Ante o autoritarismo reinante nas universidades, essas propostas e algumas de suas conquistas têm significado um avanço político e cultural imenso, causando preocupações nos administradores universitários, que veem aí uma ameaça ao seu poderio. O que não deixa de ser sintomático, pois, quando bem analisadas, nossas tentativas democratizantes não ultrapassam o quadro das exigências de uma democracia liberal!

De fato, nossas propostas não vão além do quadro liberal, na medida em que temos tido em mira uma democratização visando à transformação dos parlamentos universitários pelo aumento da representação, mas não chegamos a discutir o significado do grande obstáculo à democracia, qual seja, a separação radical entre direção e execução. Queremos aumentar a representação nos órgãos de poder já existentes, queremos deles participar, mas em nenhum momento temos posto em dúvida sua necessidade e legitimidade. Por outro lado, temos defendido a liberdade de ensino e de pesquisa como defesa da liberdade de opinião (o que, neste país, é uma tarefa gigantesca, diga-se de passagem), de modo que a universidade é defendida por nós muito mais como *espaço público* (porque lugar da opinião livre) do que como *coisa pública* (o que suporia uma análise de classes). A universidade, se fosse entendida como coisa pública, nos forçaria a compreender que a divisão social do trabalho não exclui uma parte da sociedade apenas do espaço público, mas sim do direito à produção de um saber e à cultura dita letrada. Como coisa pública, a universidade não torna os produtos mais rigorosos da cultura letrada imediatamente acessíveis aos não iniciados – isso seria reproduzir o ideal da gratificação instantânea do consumidor, própria da televisão –, mas torna clara a diferença entre o direito de ter acesso à produção dessa cultura e a ideologia que, em nome das dificuldades teóricas e das exigências de iniciação, faz dela uma questão de talento e de aptidão, isto é, um privilégio de classe.

A ideia de democracia é constituída pela articulação de algumas outras: pela ideia de comunidade política fundada na liberdade e igualdade, pelas ideias de poder popular, conflitos internos, elegibilidade e rotatividade de governantes. Isso significa que uma política e uma ideologia liberais são, por definição, avessas aos princípios democráticos, de modo que a existência de *democracias liberais* não se deve a uma decisão espontânea das classes dominantes, mas à ação da luta de classes, na qual as forças populares obrigam os dominantes a esse tipo de regime. Nessa medida, a democracia liberal não é uma falsa democracia nem a única realização democrática possível. É apenas uma realização historicamente determinada da democracia.

A democracia liberal define e articula de modo particular as ideias constitutivas da democracia, dando-lhes um conteúdo determinado. Assim, a ideia de comunidade, que no conceito originário de democracia se define pela presença de uma medida comum que torna os membros da coletividade equivalentes – essa medida é a liberdade pela qual será estabelecida a igualdade de condições na participação no poder e na repartição dos bens –, é uma ideia inviável na sociedade de classes, dividida não apenas pelo conflito dos interesses, mas por diferenças que vão desde as relações de produção até a participação no poder e na cultura. Na democracia liberal, duas entidades substituem a ideia de comunidade livre e igual: a Nação e o Estado. A primeira é a face subjetiva da "comunidade" de origem, de costumes, de território, produzindo uma identificação social que ignora a divisão das classes. A segunda é a face objetiva da "comunidade", figurando sob forma imaginária o interesse geral, acima dos interesses particulares. A liberdade passa a ser definida pela ideia de independência, o que, na verdade, reduz sua definição ao direito à propriedade privada dos meios de produção, única a permitir a não dependência com relação a outrem (portanto, os "dependentes" não são livres). Essa ideia é incompatível com a de igualdade, evidentemente, pois o direito formal de todos à propriedade privada dos meios de produção não possui a menor viabilidade concreta, uma vez que o sistema social no seu todo funda-se na desigualdade de classe. A igualdade, então, passa a ser definida pela propriedade privada do corpo e pela relação de contrato entre iguais (porque todos são igualmente proprietários de seus corpos e de suas vontades). A relação contratual é encarada como uma realidade jurídica, e por isso a igualdade será definida como igualdade perante a lei. Os conflitos, por seu turno, não sendo realmente conflitos de interesses, mas de classes, não podem ser trabalhados socialmente, sendo, então, apenas rotinizados por meio de canais institucionais que permitam sua expressão legal e, portanto, seu controle. As eleições, articuladas à ideia de rotatividade dos governantes, perdem seu caráter simbólico (isto é, de revelação periódica da origem do poder, pois durante o período eleitoral o lugar do poder achando-se vazio revela-se como não pertencente a ninguém, mas espalhado pela sociedade soberana), para reduzir-se à rotina de substituição de governos (permanecendo o poder sempre ocupado). Enfim, a democracia liberal reforça a ideia de cidadania como direito à representação, de modo a fazer da democracia um fenômeno exclusivamente político, ocultando a possibilidade de encará-la como social e histórica. A ideia de representação recobre a de participação, reduzindo-a ao instante periódico do voto. A liberdade se reduz à de voz (opinião) e voto, e a igualdade, ao direito de ter a lei em seu favor e de possuir representantes.

Num país como o Brasil, de tradição fortemente autoritária, a democracia liberal sempre aparece como um grande passo histórico e político, toda vez que se julga poder implantá-la durante algum tempo. Por esse motivo, no quadro da universidade, é perfeitamente compreensível que a democratização permaneça no contexto liberal. Isso, porém, não nos impede de compreender uma possibilidade democrática para além dos limites liberais. Nesse caso, precisaríamos começar compreendendo que a democracia não é forma de um regime político, mas uma forma de existência social. Compreendida sob esse ângulo, ela nos permitiria perceber que o poder não se restringe à esfera do Estado, mas se encontra espalhado pelo interior de toda a sociedade civil sob a forma da exploração econômica e da dominação social veiculada pelas instituições, pela divisão social do trabalho, pela separação entre proprietários e produtores, dirigentes e executantes. A democracia, entendida como democracia social e política, também nos permitiria perceber como as divisões sociais operam no sentido de privatizar cada vez mais a existência social, reduzindo progressivamente o campo das ações comuns e grupais, restringindo o espaço social ao espaço doméstico isolado (basta examinar o urbanismo contemporâneo para que essa privatização da vida salte aos olhos), mobilizando periodicamente os indivíduos para melhor despolitizá-los.

Seria preciso também que retomássemos o exame da ideia de representação antes de acoplá-la imediatamente à de participação. O ponto de apoio da dominação contemporânea, sob a forma da administração burocrática ou da Organização, é a separação operada entre direção e execução em todas as esferas da vida social (da economia ao lazer, passando por instituições sociais como a escola, o hospital, o espaço urbano, os transportes, as organizações partidárias, até o núcleo da produção cultural). Assim sendo, a questão democrática, antes de ser discussão sobre a cidadania como direito à representação, deveria ser a questão da concreticidade da própria cidadania – trata-se do *direito à gestão* da vida econômica, social, política e cultural por seus agentes. A democracia social e política, fundada numa cidadania concreta que começa no plano do trabalho, é a passagem de nossa condição de objetos sociopolíticos à condição de sujeitos históricos.

Encarada dessa perspectiva, a democracia coloca na ordem do dia o problema da violência, isto é, da redução de um sujeito à condição de coisa. Violência não é violação da lei – pois, nesse caso, não poderíamos sequer falar em leis violentas. Mas é a posição, frequentemente sob a forma da lei, do direito de reduzir um sujeito social a um objeto manipulável. Ora, o que é a separação entre dirigentes e executantes senão a redução institucionalizada de uma parte da sociedade à condição de coisa? E é aqui, acredito, que a universidade pode ser posta em questão.

Ao afirmar, anteriormente, que nossas lutas e propostas de democratização não vão além do quadro liberal, isso não implicava minimizar a importância dessas lutas e propostas, sobretudo quando se considera o contexto autoritário, mas visava apenas sugerir que com elas não chegamos a analisar a violência que nós mesmos exercemos, frequentemente sem saber. Cotidianamente, como professores e pesquisadores, praticamos violência, e nossa incapacidade democrática é cada vez mais assustadora porque reforçada pela instituição universitária, interiorizada por nós. Basta tomar duas situações (entre inúmeras outras) para que isso se torne perceptível: a relação pedagógica, transformada em posse vitalícia do saber, e as pesquisas comprometidas com a "História do vencedor".

Quando examinamos a relação pedagógica na universidade, não encontramos razões para regozijo. Não se trata, aqui, do autoritarismo próprio dos regulamentos universitários, pois já sabemos o que são e para que são. Trata-se do uso do saber para exercício de poder, reduzindo os estudantes à condição de coisas, roubando-lhes o direito de ser sujeitos de seu próprio discurso. Longe de aceitarmos que a relação professor-aluno é assimétrica, tendemos a ocultá-la de duas maneiras: ou tentamos o "diálogo" e a "participação em classe", fingindo não haver uma diferença real entre nós e os alunos, exatamente no momento em que estamos teleguiando a relação, ou, então, admitimos a diferença, mas para encará-la não como assimetria, e sim como desigualdade justificadora do exercício de nossa autoridade. O que seria a admissão da assimetria como diferença a ser trabalhada? Seria considerar que o diálogo dos estudantes não é conosco, mas com o pensamento, que somos mediadores desse diálogo, e não seu obstáculo. Se o diálogo dos estudantes for com o saber e com a cultura corporificada nas obras, e, portanto, com a práxis cultural, a relação pedagógica revelará que o lugar do saber se encontra sempre vazio e que, por esse motivo, todos podem igualmente aspirar a ele, porque não pertence a ninguém. O trabalho pedagógico seria, então, trabalho no sentido pleno do conceito: movimento para suprimir o aluno como aluno, a fim de que em seu lugar surja aquele que é o igual do professor, isto é, outro professor. Por isso o diálogo não é ponto de partida, mas de chegada, quando a assimetria foi superada e a igualdade foi instalada graças à própria assimetria. Seria preciso admitir que o lugar do professor é simbólico – e por isso sempre vazio, tanto quanto imaginário – e por isso sempre pronto a ter proprietários. Se não pensarmos sobre o significado do ato de ensinar e de aprender, não seremos capazes de pensar numa democracia universitária.

Se, por outro lado, examinarmos o campo de nossas investigações, também não encontraremos grandes motivos de júbilo. Estamos comprometidos até o âmago com o saber das classes dominantes. Se, nas áreas das ciências exatas, esse compromisso aparece mediado, isto é, o teor das pesquisas está condicionado aos financiamentos, no caso das ciências humanas o compromisso não possui sequer o álibi da submissão financeira. A sociedade brasileira, tanto em sua estrutura quanto em sua história, tanto na política quanto nas ideias, é descrita, narrada, interpretada e periodizada segundo cortes e visões próprios da classe dominante. Esse aspecto se torna verdadeiramente dramático naqueles casos em que o "objeto de pesquisa" é a classe dominada. Além de roubar-lhe a condição de sujeito, as pesquisas tratam sua história, seus anseios, suas revoltas, seus costumes, suas produções, sua cultura no *continuum* de uma história que, além de não ser a dela, muitas vezes é justamente aquela história que o dominado, implícita ou explicitamente, está recusando. Em outras palavras, os dominados penetram nas pesquisas universitárias sob as lentes dos conceitos dominantes, são incluídos numa sociedade que os exclui, numa história que os vence periodicamente, numa cultura que os diminui sistematicamente. Comparsas involuntários dos dominantes, os "objetos" de pesquisa não têm hora e vez no recinto da universidade. Se não pensarmos nesses compromissos que determinam a própria produção universitária, nossas discussões sobre a democratização se convertem num voto piedoso e sem porvir.

Ideologia neoliberal e universidade[1]

I

O que chamamos de neoliberalismo nasceu de um grupo de economistas, cientistas políticos e filósofos, entre os quais Popper e Lippman, que em 1947 reuniu-se em Mont Saint Pèlerin, na Suíça, à volta do austríaco Hayek e do norte-americano Milton Friedman. Esse grupo opunha-se encarniçadamente ao surgimento do Estado de Bem-Estar de estilo keynesiano e social-democrata e contra a política norte-americana do New Deal. Navegando contra a corrente das décadas de 1950 e 1960, esse grupo elaborou um detalhado projeto econômico e político no qual atacava o chamado Estado-Providência com seus encargos sociais e com a função de regulador das atividades do mercado, afirmando que esse tipo de Estado destruía a liberdade dos cidadãos e a competição, sem as quais não há prosperidade. Essas ideias permaneceram como letra morta até a crise capitalista do início dos anos 1970, quando o capitalismo conheceu, pela primeira vez, um tipo de situação

[1] Conferência proferida na abertura do seminário *A Construção Democrática em Questão* no dia 22 de abril de 1997, no Anfiteatro de História da Faculdade de Filosofia, Letras e Ciências Humanas da USP (FFLCH). Texto originalmente publicado em: *Os sentidos da democracia. Políticas de dissenso e hegemonia global.* Vozes; CENEDIC; FAPESP, 1999.

imprevisível, isto é, baixas taxas de crescimento econômico e altas taxas de inflação: a famosa estagflação. O grupo de Hayek, Friedman e Popper passou a ser ouvido com respeito porque oferecia a suposta explicação para a crise: esta, diziam eles, fora causada pelo poder excessivo dos sindicatos e dos movimentos operários, que haviam pressionado por aumentos salariais e exigido o aumento dos encargos sociais do Estado. Teriam, dessa maneira, destruído os níveis de lucro requeridos pelas empresas e desencadeado os processos inflacionários incontroláveis.

Feito o diagnóstico, o grupo do Mont Saint Pèlerin propôs os remédios: (1) um Estado forte para quebrar o poder dos sindicatos e movimentos operários, para controlar os dinheiros públicos e cortar drasticamente os encargos sociais e os investimentos na economia; (2) um Estado cuja meta principal deveria ser a estabilidade monetária, contendo os gastos sociais e restaurando a taxa de desemprego necessária para formar um exército industrial de reserva que quebrasse o poderio dos sindicatos; (3) um Estado que realizasse uma reforma fiscal para incentivar os investimentos privados e, portanto, que reduzisse os impostos sobre o capital e as fortunas, aumentando os impostos sobre a renda individual e, assim, sobre o trabalho, o consumo e o comércio; (4) um Estado que se afastasse da regulação da economia, deixando que o próprio mercado, com sua racionalidade própria, operasse a desregulação; em outras palavras, abolição dos investimentos estatais na produção, abolição do controle estatal sobre o fluxo financeiro, drástica legislação antigreve e vasto programa de privatização. O modelo foi aplicado primeiro no Chile, depois na Inglaterra e nos Estados Unidos, expandindo-se para todo o mundo capitalista (com exceção dos países asiáticos) e, depois da queda do muro de Berlim, para o Leste Europeu. Esse modelo político tornou-se responsável pela mudança da forma da acumulação do capital, hoje conhecida como acumulação flexível e que não havia sido prevista pelo grupo neoliberal. De fato, ele propusera seu pacote de medidas na certeza de que abaixaria a taxa de inflação e aumentaria a taxa do crescimento econômico. A primeira aconteceu, mas a segunda não, porque o modelo incentivou a especulação financeira em vez dos investimentos na produção; o monetarismo superou a indústria. Donde falar-se em capitalismo pós-industrial.

Até os meados dos anos 1970, a sociedade capitalista era orientada por dois grandes princípios: o princípio keynesiano de intervenção do Estado na economia por meio de investimentos e endividamento para distribuição da renda e promoção do bem-estar social, visando diminuir as desigualdades; e o princípio fordista de organização industrial, baseado no planejamento, na funcionalidade e no longo prazo do trabalho industrial, com a centralização e verticalização das plantas industriais, grandes linhas de montagens concentradas num único espaço, formação de grandes estoques, e orientado pelas ideias de racionalidade e durabilidade dos produtos, e de política salarial e promocional visando aumentar a capacidade de consumo dos trabalhadores. A pergunta é: por que essa forma da sociedade capitalista entrou em colapso?

Como explica Francisco de Oliveira,[2] o chamado colapso da modernização decorre do que se passou com o Estado do Bem-Estar Social com a criação do fundo público, que devia financiar simultaneamente a acumulação do capital[3] e a reprodução da força de trabalho, alcançando toda a população por meio dos gastos sociais,[4] gerando um segundo salário, o salário indireto (os benefícios sociais financiados pelo Estado), ao lado do salário direto (pago pelas empresas aos trabalhadores). O resultado foi o aumento da capacidade de consumo das classes sociais, particularmente da classe média e da classe trabalhadora; ou seja, o consumo de massa. Nesse processo, o Estado endividou-se e entrou numa situação de dívida pública conhecida como déficit fiscal. A isso se deve acrescentar o momento crucial da crise, isto é, o instante de internacionalização oligopólica da produção e da

[2] OLIVEIRA, Francisco de. O surgimento do antivalor. Capital, força de trabalho e fundo público. In: *Os direitos do antivalor. A economia política da hegemonia imperfeita*. Petrópolis: Vozes, 1998. (Coleção Zero à Esquerda).

[3] Os gastos públicos com a produção, desde subsídios para a agricultura, a indústria e o comércio, até subsídios para a ciência e a tecnologia, formando amplos setores produtivos estatais que desaguaram no célebre complexo militar-industrial, além da valorização financeira do capital por meio da dívida pública.

[4] Educação gratuita, medicina socializada, previdência social, seguro-desemprego, subsídios para transporte, alimentação e habitação, subsídios para cultura e lazer, salário-família, salário-desemprego, etc.

finança (a chamada globalização), pois os oligopólios multinacionais não enviam aos seus países de origem os ganhos obtidos fora de suas fronteiras e, portanto, não alimentam o fundo público nacional, que deve continuar financiando o capital e a força de trabalho. Além disso, sob a forma do salário indireto, o fundo público desatou o laço que prendia o capital à força de trabalho (ou o salário direto). Essa amarra era o que, no passado, fazia a inovação técnica pelo capital ser uma reação ao aumento real de salário, e, desfeito o laço, o impulso à inovação tecnológica tornou-se praticamente ilimitado, provocando expansão dos investimentos e agigantamento das forças produtivas cuja liquidez é impressionante, mas cujo lucro não é suficiente para concretizar todas as possibilidades tecnológicas. Por isso mesmo, o capital precisa de parcelas da riqueza pública, isto é, do fundo público, na qualidade de financiador dessa concretização.

O neoliberalismo, portanto, não é a crença na racionalidade do mercado, o enxugamento do Estado e a desaparição do fundo público, mas a decisão de cortar o fundo público no polo de financiamento dos bens e serviços públicos – ou dos direitos sociais – e maximizar o uso da riqueza pública nos investimentos exigidos pelo capital, cujos lucros não são suficientes para cobrir todas as possibilidades tecnológicas que ele mesmo abriu. O neoliberalismo é o encolhimento do espaço público dos direitos e o alargamento do espaço privado dos interesses de mercado.

O que é o capitalismo atual? Se reunirmos diferentes estudos, poderemos obter um quadro aproximativo cujos traços são os seguintes:

1) O desemprego tornou-se estrutural, deixando de ser acidental ou expressão de uma crise conjuntural, porque a forma contemporânea do capitalismo, ao contrário de sua forma clássica, não opera por inclusão de toda a sociedade no mercado de trabalho e de consumo, mas por exclusão. Essa exclusão se faz não só pela introdução da automação, mas também pela velocidade da rotatividade da mão de obra, que se torna desqualificada e obsoleta muito rapidamente em decorrência da velocidade das mudanças tecnológicas. Como consequência, têm-se a perda de poder dos sindicatos e o aumento da pobreza absoluta.

2) O monetarismo e o capital financeiro tornaram-se o coração e o centro nervoso do capitalismo, ampliando a desvalorização do trabalho produtivo e privilegiando a mais abstrata e fetichizada das mercadorias, o dinheiro (em um dia, a bolsa de valores de Nova York ou de Londres é capaz de negociar montantes de dinheiros equivalentes ao PIB anual do Brasil ou da Argentina). O poderio do capital financeiro determina, diariamente, as políticas dos vários Estados porque estes, sobretudo os da periferia do sistema, dependem da vontade dos bancos e financeiras de transferir periodicamente os recursos para um determinado país, abandonando outro.

3) A terceirização, isto é, o aumento do setor de serviços, tornou-se estrutural, deixando de ser um suplemento à produção, visto que agora a produção não mais se realiza sob a antiga forma fordista das grandes plantas industriais que concentravam todas as etapas da produção – da aquisição da matéria-prima à distribuição dos produtos –, mas opera por fragmentação e dispersão de todas as esferas e etapas da produção, com a compra de serviços no mundo inteiro. Como consequência, desaparecem todos os referenciais materiais que permitiam à classe operária perceber-se como classe e lutar como classe social, enfraquecendo-se ao se dispersar nas pequenas unidades terceirizadas espalhadas pelo planeta.

4) Sob a designação de *tecnociência*, a ciência e a tecnologia tornaram-se forças produtivas, deixando de ser mero suporte do capital para se converter em agentes de sua acumulação. Consequentemente, mudou o modo de inserção dos cientistas e técnicos na sociedade, uma vez que se tornaram agentes econômicos diretos, e a força e o poder capitalistas encontram-se no monopólio dos conhecimentos e da informação.

5) Diferentemente da forma keynesiana e social-democrata que, desde o pós-Segunda Guerra, havia definido o Estado como agente econômico para regulação do mercado e agente fiscal que emprega a tributação para promover investimentos nas políticas de direitos sociais, agora o capitalismo dispensa e rejeita a presença estatal não só no mercado mas também nas

políticas sociais, de sorte que a privatização tanto de empresas quanto de serviços públicos também se tornou estrutural. Disso resulta que a ideia de direitos sociais como pressuposto e garantia dos direitos civis ou políticos tende a desaparecer, porque o que era um direito converte-se num serviço privado regulado pelo mercado e, portanto, torna-se uma mercadoria a que têm acesso apenas os que têm poder aquisitivo para adquiri-la.

6) A transnacionalização da economia torna pouco importante a figura do Estado nacional como enclave territorial para o capital e dispensa as formas clássicas do imperialismo – colonialismo político-militar, geopolítica de áreas de influência, etc. –, de sorte que o centro econômico, jurídico e político planetário encontra-se no FMI e no Banco Mundial. Estes operam com um único dogma, proposto pelo grupo fundador do neoliberalismo, qual seja, estabilidade econômica e corte do déficit público.

7) A distinção entre países de Primeiro e Terceiro Mundo tende a ser substituída pela existência, em cada país, de uma divisão entre bolsões de riqueza absoluta e de miséria absoluta, isto é, a polarização de classes aparece como polarização entre a opulência absoluta e a indigência absoluta. Há, em cada país, um primeiro mundo (basta ir aos Jardins e ao Morumbi, em São Paulo, para vê-lo) e um terceiro mundo (basta ir a Nova York e Londres para vê-lo). A diferença está apenas no número de pessoas que, em cada um deles, pertence a um dos mundos, em função dos dispositivos sociais e legais de distribuição da renda, da garantia de direitos sociais consolidados e da política tributária (o grosso dos impostos não vem do capital, mas do trabalho e do consumo).

Em resumo, desintegração vertical da produção, tecnologias eletrônicas, diminuição dos estoques, velocidade na qualificação e desqualificação da mão de obra, aceleração do *turnover* da produção, do comércio e do consumo pelo desenvolvimento das técnicas de informação e distribuição, proliferação do setor de serviços, crescimento da economia informal e paralela, e novos meios para prover os serviços financeiros – desregulação econômica e formação de grandes conglomerados financeiros que formam um único mercado mundial com poder de coordenação financeira.

A esse conjunto de condições materiais, precariamente esboçado aqui, corresponde um imaginário social que busca justificá-las (como racionais), legitimá-las (como corretas) e dissimulá-las enquanto formas contemporâneas da exploração e dominação. *Esse imaginário social é o neoliberalismo como ideologia da competência e cujo subproduto principal é o pós-modernismo*, que toma como o ser da realidade a fragmentação econômico-social e a compressão espaçotemporal gerada pelas novas tecnologias e pelo percurso do capital financeiro.

O pós-modernismo corresponde a uma forma de vida determinada pela insegurança e violência institucionalizada pelo mercado. Essa forma de vida possui quatro traços principais: (1) a insegurança, que leva a aplicar recursos no mercado de futuros e de seguros; (2) a dispersão, que leva a procurar uma autoridade política forte, com perfil despótico; (3) o medo, que leva ao reforço de antigas instituições, sobretudo a família, e ao retorno das formas místicas e autoritárias ou fundamentalistas de religião; (4) o sentimento do efêmero e da destruição da memória objetiva dos espaços, levando ao reforço de suportes subjetivos da memória (diários, biografias, fotografias, objetos).

A peculiaridade pós-moderna, isto é, a paixão pelo efêmero e pelas imagens, depende de uma mudança sofrida no setor da circulação das mercadorias e do consumo. De fato, as novas tecnologias deram origem a um tipo novo de publicidade e marketing no qual não se vendem e compram mercadorias, mas os signos delas, isto é, vendem-se e compram-se imagens que, por serem efêmeras, precisam ser substituídas rapidamente. Dessa maneira, o paradigma do consumo é dado pelo mercado da moda, veloz, efêmero e descartável.

Porque é parte da ideologia neoliberal ou da nova forma da acumulação do capital, o pós-modernismo relega à condição de mitos eurocêntricos totalitários os conceitos que fundaram e orientaram a modernidade: as ideias de racionalidade, universalidade, o contraponto entre necessidade e contingência, os problemas da relação entre subjetividade e objetividade, a história como dotada de sentido imanente, a diferença entre natureza e cultura, etc. Em seu lugar, o pós-modernismo afirma a fragmentação como modo de ser do real, fazendo da ideia de diferença o núcleo provedor de sentido da realidade; preza a superfície do aparecer social ou as imagens e sua velocidade espaçotemporal; recusa que a linguagem tenha sentido e interioridade para vê-la como construção, desconstrução e jogo, tomando-a exatamente como o mercado de ações e dinheiro toma o capital; privilegia a subjetividade como intimidade emocional e narcísica, elegendo a esquizofrenia como paradigma do subjetivo, isto é, a subjetividade fragmentada e dilacerada.

O pós-modernismo realiza três grandes inversões ideológicas: substitui a lógica da produção pela da circulação (donde nas universidades a avaliação ser feita pelo número de publicações e não pela qualidade e importância da pesquisa); substitui a lógica do trabalho pela lógica da comunicação (donde a crença do Ministro da Educação[5] de que, sem alterar o processo de formação dos professores do ensino fundamental e sem alterar seus salários aviltantes, tudo irá bem na educação, desde que haja televisões e computadores nas escolas); e substitui a lógica da luta de classes pela lógica da satisfação/insatisfação dos indivíduos no consumo.

Podemos ver essa ideologia operando em toda parte. Para o que nos interessa aqui, eu gostaria de ilustrar essa presença com alguns exemplos ligados à educação.

O primeiro exemplo é a matéria publicada pela revista *Veja São Paulo*, de 12 de março de 1997, a respeito das escolas que mais recebem aprovação nos exames vestibulares. Quero destacar apenas o modo como a revista descreve essas escolas e explica o sucesso delas: os dados são apresentados em termos de porcentagens sem que se expliquem qual o parâmetro dos números e por que seriam importantes (o aspecto geral é semelhante ao de dados sobre bolsas de valores); os "bons colégios" são descritos como aqueles que exigem do aluno duas a três horas diárias de trabalho em casa, como se fosse excepcional que o estudante fizesse seus deveres escolares (!); a qualidade da escola é avaliada pelo tamanho (isto é, pelos metros quadrados de área construída e recreativa), pela presença de computadores e videotecas. Nenhuma

[5] Trata-se do ano 1997. (N.E.)

palavra é dita sobre o conteúdo dos cursos, formação de professores e sua remuneração, conteúdo dos livros em bibliotecas, tipo de atividade realizada em laboratórios, etc. Numa palavra, a qualidade propriamente educacional não é mencionada. São mencionados os desempenhos numéricos em exames vestibulares, o preço dos cursos e a forma de seleção de candidatos a vagas nas escolas (sendo clara a discriminação de classe e étnica).

Meu segundo exemplo é retirado de um editorial do jornal *Folha de S.Paulo* de 5 de março de 1997, e de um artigo de Ivan Valente, também na *Folha de S.Paulo*, em janeiro de 1998. O editorial da *Folha de S.Paulo* intitula-se' "País mal-educado" e se inicia declarando que "a má qualidade da rede pública de ensino e os custos da educação privada colocam um pesado ônus financeiro às famílias de renda média". Acrescenta, depois do lapso de referir-se apenas às "famílias de renda média", que essa situação compromete "o avanço social das crianças pobres". Seria de esperar que o editorial prosseguisse explicando as causas da má qualidade do ensino público e dos altos custos da escola privada. Em lugar disso, porém, o editorial prossegue com duas preciosidades neoliberais de primeira água. Seria preciso, escreve o editorialista, que o ensino público fosse de boa qualidade (o editorial não diz como isso seria obtido, uma vez que outros editoriais do mesmo jornal não se cansam de afirmar a necessidade de "enxugar os gastos estatais"). Por que seria interessante melhorar a qualidade do ensino público? Resposta: porque "se o ensino gratuito fosse de melhor qualidade, haveria maior competição e, previsivelmente, menores preços da rede particular" – o jornal estabelece, portanto, uma relação mecânica, causal e funcional, entre qualidade do ensino gratuito e qualidade do ensino pago a partir do critério do mercado, isto é, de que a competição gera qualidade e baixos custos. A essa pérola segue-se outra, esperada. Qual a consequência da atual situação? Responde o editorialista: as universidades públicas, via de regra de melhor qualidade do que as particulares, absorvem a clientela rica das escolas privadas de segundo grau, e os estudantes pobres ou não fazem universidade ou pagam exorbitâncias nas universidades particulares de baixa qualidade. Como resolver o problema? Resposta: instituindo a universidade pública paga. Nenhuma reflexão é feita sobre as causas estruturais da situação calamitosa do ensino de primeiro e segundo graus, nenhuma reflexão é feita sobre o significado social e político do ensino público gratuito. É dado como óbvio que a lógica do mercado é a solução para os problemas educacionais. O artigo de Ivan Valente é um comentário crítico de uma posição adotada pelo Ministério da Fazenda, a quem o Ministério da Educação significativamente transferiu a responsabilidade sobre mensalidades e inadimplências nas escolas privadas. O Ministério da Fazenda declarou que o Estado deve desregular a relação entre escolas e pais de alunos porque "a classe média está em condições de enfrentar, por meio da negociação, o conflito com os donos das escolas". Assim, o Ministério da Fazenda e o da Educação consideram que a relação entre a escola e os pais é puramente mercantil e que deve obedecer às leis do mercado e ser tomada como qualquer outra relação de consumo. Nenhuma reflexão sobre os cartéis formados pelos donos das escolas privadas, nenhuma reflexão sobre o fato de que as famílias são empurradas para as escolas particulares por causa da situação das escolas públicas. Tudo parece se passar como se se tratasse de escolher em qual supermercado ou *shopping center* serão feitas as compras.

Passo, finalmente, ao meu terceiro e último exemplo, isto é, às discussões de 1995 sobre a qualidade e eficiência das universidades paulistas, discussões travadas durante a greve de professores e funcionários por aumento salarial. Antes de apresentá-lo, gostaria de inserir o episódio dessa greve num contexto que nos ajude a entender os termos em que ele aconteceu, ou seja, oferecer uma periodização sumária das mudanças da universidade pública entre 1970 e 1997.

Uma brevíssima periodização das universidades públicas brasileiras entre 1970 e os nossos dias (1997) nos permitiria propor a seguinte sequência: de 1970 a 1980, instalou-se a *universidade funcional*, cujo objetivo era preparar rapidamente estudantes para um novo mercado de trabalho gerado pelo milagre brasileiro e, simultaneamente, compensar a classe média urbana por seu apoio incondicional à ditadura;[6] de 1980 a 1990, passou-se à *universidade de resultados* ou de serviços,

[6] É o momento da ampliação das vagas nas universidades públicas (sem ampliação do corpo docente), do financiamento estatal das universidades privadas, do vestibular unificado feito por empresas privadas.

definida pela produtividade, medida por critérios quantitativos e aberta a "parcerias" com empresas privadas para financiamento de pesquisas; a partir de 1990, chegamos à *universidade operacional*, definida como uma Organização social.[7] Regida pelas ideias de gestão, planejamento, previsão, controle e êxito, uma Organização se define por sua instrumentalidade e por sua referência ao conjunto de meios particulares para obtenção de um objetivo particular, ou seja, estratégias balizadas pelas ideias de eficácia e de sucesso no emprego de determinados meios para alcançar o objetivo particular que a define. Na universidade operacional, a docência é entendida como adestramento e transmissão rápida de conhecimentos, consignados em manuais de fácil leitura para os estudantes, isto é, desaparece a ideia de formação; por sua vez, a pesquisa se reduz a uma estratégia de intervenção e de controle de meios ou instrumentos para a consecução de um objetivo delimitado, é um *survey* de problemas, dificuldades e obstáculos para a realização do objetivo, e um cálculo de meios para soluções parciais para problemas e obstáculos parciais; isto é, desaparecem as ideias de investigação, interrogação, crítica e criação.

Em vista disso, queria enfatizar que o que mais me impressionou (mas não me surpreendeu), naquela greve, foi o fato de que os professores não só aceitavam, mas alguns foram responsáveis pela posição dos termos da discussão não no plano acadêmico da docência e da pesquisa, mas no da produtividade, competição e eficiência. Isso, aliás, já vinha acontecendo desde o início dos anos 1990 (período que designei como a universidade de resultados ou de serviços), quando a maioria dos universitários passou a discutir com paixão e entusiasmo se a publicação de artigos em revistas estrangeiras deveria contar mais pontos do que em revistas nacionais, ou se um artigo deveria valer mais ou menos pontos do que a publicação de um livro. Tanto na USP como no Conselho dos Reitores das Universidades Brasileiras, de cujo congresso nacional participei em 1993, propus aos colegas que os temas avaliativos fossem inseridos num contexto histórico mais abrangente, tanto do ponto de vista da sociedade brasileira quanto das

[7] Essa expressão é proposta por Michel Freitag em *Le naufrage de l'université*. Paris: La Découverte, 1996.

questões teóricas e práticas colocadas pela nova forma do capitalismo mundial, indo desde a chamada crise da razão moderna ou do pós-modernismo até o modo de inserção da ciência e da tecnologia no coração das forças produtivas. Fiz essa proposta porque me parecia e me parece impossível discutir seriamente a questão da avaliação da universidade sem considerar a tragédia da educação brasileira sob os efeitos do projeto neoliberal que, no caso da universidade, implantou-se justamente através da ideia de avaliação acadêmica segundo critérios que não só perdem de vista a especificidade da universidade, mas sobretudo trabalham a partir da inserção da universidade na sociedade pelo prisma das relações de mercado. Mais do que isso, era preciso refletir sobre a maneira como a própria universidade passou a ver a si mesma tomando as relações de mercado como parâmetro, vendo-se como uma organização (o que a fez desembocar na universidade operacional). No entanto, lendo artigos e acompanhando debates universitários, cheguei à conclusão de que alguns temas haviam se tornado hegemônicos na mente universitária e nada poderia demover os colegas de operar com eles, seja a favor, seja contra:

1) Aceitação da ideia de avaliação universitária sem nenhuma consideração sobre a situação do ensino de primeiro e segundo graus, como se a universidade nada tivesse a ver com eles e nenhuma responsabilidade lhe coubesse pela situação em que se encontram.
2) Aceitação da avaliação acadêmica pelo critério da titulação e das publicações, com total descaso pela docência, critério usado pelas universidades privadas norte-americanas, nas quais a luta pelos cargos e pela efetivação é feita a partir dos critérios quantitativos da produção publicada e pela origem do título de PhD.
3) Aceitação do critério de distribuição dos recursos públicos para pesquisa a partir da ideia de "linhas de pesquisa", critério que faz sentido para as áreas que operam com grandes laboratórios e com grandes equipes de pesquisadores, mas que não faz nenhum sentido nas áreas de humanidades e nos campos de pesquisa teórica fundamental.

4) Aceitação da ideia de modernização racionalizadora pela privatização e terceirização da atividade universitária, a universidade participando da economia e da sociedade como prestadora de serviços às empresas privadas, com total descaso pela pesquisa fundamental e de longo prazo.

Seja para opor-se, seja para defender essas ideias, o campo da discussão estava predeterminado e predefinido pela ideologia da competência neoliberal e pela alienação que ela acarreta. Não foi surpreendente, quando a greve das universidades paulistas eclodiu, que os grevistas se sentissem completamente desarmados para defender-se dos ataques que lhes foram desferidos pelas direções universitárias, por jornalistas e empresários. De fato, a greve das universidades paulistas suscitou polêmicas em torno de números, índices, recursos e custos. Jornalistas, universitários e empresários ocuparam diferentes páginas dos jornais para denunciar o descaso do poder público brasileiro com a educação fundamental, drenando os recursos para as universidades, nas quais imperam o elitismo da clientela e o mau gerenciamento dos recursos universitários. Para provar o que diziam, trouxeram quadros comparativos para medir a diferença entre a eficiência de universidades privadas estrangeiras e das universidades públicas brasileiras.

Todos os artigos publicados eram vítimas de estranha amnésia, pois esqueciam que, durante a ditadura, a classe dominante, sob o pretexto de combate à subversão, mas realmente para servir aos interesses de uma de suas parcelas (os proprietários das escolas privadas), praticamente destruiu a escola pública de primeiro e segundo graus. Por que pôde fazê-lo? Porque, neste país, educação é considerada privilégio, e não um direito dos cidadãos. Como o fez? Cassando seus melhores professores, abolindo a Escola Normal na formação dos professores do primeiro grau, inventando a licenciatura curta, alterando as grades curriculares, inventando os cursos profissionalizantes irreais, estabelecendo uma política do livro baseada no descartável e nos testes de múltipla escolha e, evidentemente, retirando recursos para manutenção e ampliação das escolas e, sobretudo, aviltando de maneira escandalosa o salário dos professores. Que pretendia a classe dominante ao desmontar um patrimônio público de alta qualidade?

Que a escola de primeiro e segundo graus ficasse reduzida à tarefa de alfabetizar e treinar mão de obra barata para o mercado de trabalho. Isso que o editorial da *Folha de S.Paulo* chama de "avanço social das crianças pobres".

Feita a proeza, a classe dominante aguardou o resultado esperado: os alunos do primeiro e segundo graus das escolas públicas, quando conseguem ir até o final desse ciclo, porque por suposto estariam "naturalmente" destinados à entrada imediata no mercado de trabalho, não devem dispor de condições para enfrentar os vestibulares das universidades públicas, pois não estão destinados a elas. A maioria deles é forçada ou a desistir da formação universitária ou a fazê-la em universidades particulares que, para lucrar com sua vinda, oferecem um ensino de baixíssima qualidade. Em contrapartida, os filhos da alta classe média e da burguesia, formados nas boas escolas particulares, tornam-se a principal clientela da universidade pública gratuita. E, agora, temos que ouvir essa mesma classe dominante pontificar sobre como baixar custos e "democratizar" essa universidade pública deformada e distorcida que nos impuseram goela abaixo. Que é proposto como remédio? Para "baixar os custos", privatizar a universidade pública, baixar o nível da graduação e realizar, para a universidade, como versão 1990, o que foi feito para o primeiro e o segundo graus na versão 1970.

Ora, esse discurso encontra eco na universidade porque ela absorveu a ideologia da competência neoliberal. É possível perceber essa absorção não apenas, como já disse, pelo teor das pautas de discussão, mas também no nível de sua institucionalidade formal como organização e de uma institucionalidade informal, que se sobrepõe à primeira. Um exemplo pode esclarecer o que digo. De fato há hoje na Universidade de São Paulo três tipos de escola que não correspondem à divisão institucional da universidade em institutos e faculdades, mas ao modo como a atividade universitária é pensada e exercida. Os três tipos podem existir e coexistir em qualquer dos institutos e faculdades: (1) a escola que dá prestígio curricular ao docente; (2) a escola que oferece complementação salarial ao docente e pesquisador; (3) a universidade pública.

A escola do prestígio curricular é aquela na qual o docente não é pesquisador nem a ela se dedica em tempo integral, mas ali leciona em tempo parcial algumas horas por semana. Embora a verdadeira profissão seja exercida noutro local (consultório, escritório particular, empresas privadas), o profissional tem interesse em apresentar-se com o currículo de professor da USP porque vale clientes ricos ou um bom cargo na firma.

A escola de complementação salarial é aquela em que as pesquisas são financiadas por empresas e organismos privados, que subsidiam a montagem e manutenção de laboratórios, bibliotecas e equipamentos, congressos e simpósios nacionais e internacionais, publicações, viagens e cursos no estrangeiro. Como os recursos estão vinculados a institutos e departamentos numa relação autônoma ou direta com os órgãos financiadores, os orçamentos, finalidades e resultados dos trabalhos não são públicos, no duplo sentido do termo, isto é, não têm origem pública e não são publicizados, e os financiadores fazem uso privado dos resultados. Esse tipo de escola é visto (dentro e fora da USP) como modelo de modernidade porque desincumbe o poder público da responsabilidade com os custos da pesquisa e recebe o nome de "cooperação entre a universidade e a sociedade civil". Nela consagra-se a ideia de que a universidade é essencialmente prestadora de serviços, sendo por isso "produtiva". É o tipo acabado da universidade "moderna" do Terceiro Mundo, uma vez que os grandes e verdadeiros financiamentos privados para pesquisas fundamentais e de ponta são destinados às universidades e institutos do Primeiro Mundo.

A terceira escola é a universidade pública propriamente dita. Nela, os docentes dedicam-se ao ensino e à pesquisa em tempo integral, dependem inteiramente dos recursos públicos (nos dois sentidos do termo: os orçamentos e os resultados são públicos e publicizados) e destinam a totalidade de seus trabalhos à sociedade, seja formando profissionais de várias áreas, seja formando novos professores, seja publicando suas pesquisas e as de seus estudantes, seja realizando atividades de extensão universitária para profissionais de várias áreas e para atualização de professores de primeiro e segundo graus, seja realizando pesquisas ou participando na formulação e supervisão de projetos e programas sociais para os governos. Essa terceira escola é aquela que mantém um vínculo interno entre docência e pesquisa, portanto, entre formação e criação, conhecimento e pensamento. Nela realizam-se as pesquisas fundamentais, ou seja, as de longo prazo, independentes, que acarretam aumento de saber, mudanças no pensamento, descobertas de novos objetos de conhecimento e novos campos de investigação, reflexões críticas sobre a ciência, as humanidades e as artes, e compreensão-interpretação das realidades históricas.

II

A situação uspiana que descrevi não é senão a absorção acrítica do modelo da Organização para a universidade. Sua data de nascimento foi a instalação de fundações privadas no interior da universidade; no batismo, recebeu o nome de "modernização pela ampliação de recursos externos"; foi crismada com a "avaliação do desempenho e produtividade universitários"; e hoje recebe a extrema-unção com a criação do Programa de Apoio a Núcleos de Excelência (Pronex).

Significa isso que, recusando a ideologia da competência neoliberal, recusamos a avaliação de uma instituição pública? De modo algum. A avaliação das atividades universitárias é necessária e indispensável: (1) para orientar a política universitária do ponto de vista de um saber da universidade sobre si mesma, de seu modo de inserção na sociedade e do significado de seu trabalho, e para reorientação de programas e projetos; (2) para orientar a análise técnica dos problemas operacionais e financeiros, suprir carências, atender demandas, quebrar bolsões de privilégios e de inoperância; (3) para a prestação de contas devida aos cidadãos. Ora, a "avaliação" que vem sendo realizada nas universidades não cumpre nenhuma dessas três finalidades porque, paradoxalmente, a universidade, centro de investigação onde tudo quanto existe deve transformar-se em objeto de conhecimento, tem sido incapaz de colocar-se a si mesma como objeto de saber, criando métodos próprios que permitam elaborar técnicas específicas de autoavaliação. Resultado: vem aplicando, de modo acrítico e desastrado, os critérios organizacionais usados pelas empresas, imitando – e muito mal – procedimentos ligados à lógica do mercado, portanto, uma aberração científica e intelectual, quando aplicados à docência e à pesquisa.

Quais as consequências dessa transposição dos critérios empresariais para a avaliação da universidade? Em primeiro lugar, empregando critérios que visam à homogeneidade, a avaliação despoja a universidade de sua especificidade, isto é, a diversidade e pluralidade de suas atividades, determinadas pela natureza própria dos objetos de pesquisa e de ensino, regidos por lógicas específicas, temporalidades e finalidades diferentes; em segundo, nada é conseguido como autoconhecimento da instituição, mas apenas um catálogo de atividades e publicações (acompanhadas de inexplicados conceitos classificatórios) que absurdamente passa a orientar a alocação de recursos; em terceiro, a prestação de contas à sociedade não se cumpre porque tanto orçamentos quanto execuções orçamentárias são apresentados com os números agregados, sem explicitação de critérios, prioridades, objetivos e finalidades e sem explicitar os convênios privados.

Na verdade, uma avaliação universitária deveria partir de algumas reflexões indispensáveis. Por exemplo, do ponto de vista econômico, uma reflexão sobre o sentido e os efeitos da terceirização da economia (que produz a universidade de resultados ou de serviços), sobre a ciência e a tecnologia como forças produtivas (que amarram a pesquisa ao mercado), sobre a velocidade das informações e de suas mudanças (que desqualifica rapidamente o conhecimento e impõe à educação um ritmo contrário à ideia de formação), o desemprego estrutural (que destrói direitos ao lançar parcelas crescentes da sociedade no estado de pura carência) e a inflação estrutural (que corrói salários e lança os universitários na batalha perdida da luta salarial). Do ponto de vista político, uma reflexão sobre as consequências da ideologia neoliberal, isto é, do encolhimento do espaço público e alargamento do espaço privado, com a supressão dos direitos por privilégios (do lado da "elite") e por carências (do lado popular), aniquilando a cidadania. Do ponto de vista teórico, uma reflexão sobre a chamada "crise da razão", que leva à recusa das categorias que fundaram e organizaram o saber científico e filosófico modernos (objetividade, racionalidade, necessidade, causalidade, contingência, universalidade, finalidade, liberdade, etc.), lançando o saber seja no irracionalismo pós-moderno, seja no imediatismo quantitativo da produtividade, seja no fetichismo da circulação veloz de informações efêmeras.

Passando ao largo de uma compreensão científico-filosófica e político-cultural dessas questões, absorvendo passivamente os ares do tempo, a universidade, tomando para si a forma de uma Organização, alegremente imagina-se vivendo no compasso da modernização, que deverá tornar obsoleta e descartável a universidade pública que ainda resiste em seu interior. O resultado imediato e mais visível dessa passividade (satisfeita em uns e infeliz em outros) aparece na maneira como a polarização universitária se exprime atualmente: produtividade e competitividade, eis o discurso das cúpulas universitárias; defesa da categoria e dos salários, eis o discurso das associações e sindicatos universitários.

Em suma, a "avaliação" da universidade tem deixado na sombra pelo menos dois aspectos sem os quais, penso eu, não há avaliação possível: por um lado, a universidade como instituição que é constitutiva da sociedade, e não algo que está simplesmente inserido nessa sociedade; por outro, a mudança sofrida pelo estatuto das ciências e técnicas. Em outras palavras, tem sido deixado de lado que a *universidade é uma instituição social e política, que sua existência é determinada pela sociedade e determina ideias e práticas da sociedade*, e que, portanto, não se trata de indagar como inserir a universidade na sociedade, pois essa pergunta pressupõe que a universidade possa ter alguma realidade extrassocial e política.

Se nos voltarmos para o primeiro aspecto – a universidade como instituição social –, teremos que considerar os traços que desenham o perfil da sociedade brasileira e que poderiam ser, muito grosseiramente, assim resumidos:

1) Relações sociais hierárquicas ou verticais, nas quais os sujeitos sociais se distribuem como superiores mandantes competentes e inferiores obedientes incompetentes; não opera, portanto, o princípio da igualdade formal-jurídica nem o da igualdade social real. Imperam as discriminações sociais, étnicas, de gênero, religiosas e culturais.
2) Relações sociais e políticas fundadas em contatos pessoais, sem a mediação das instituições sociais e políticas, de modo que estão estabelecidos como paradigmas da relação sociopolítica o favor, a clientela e a tutela; não operam, portanto, as formas de representação e participação nas decisões concernentes à coletividade, mas formas variadas de paternalismo, populismo e mandonismos locais e regionais. Inexistem o

princípio da liberdade e o da responsabilidade. Imperam poderes oligárquicos.

3) As desigualdades econômicas e sociais alcançam patamares extremos, não só porque 92% do PIB concentram-se nas mãos de 2% de indivíduos e grupos, enquanto 8% do PIB se distribuem para os 98% restantes da população, mas também porque a forma contemporânea do capitalismo e da política neoliberal, operando com o encolhimento do espaço público e o alargamento do espaço privado, com o desemprego estrutural e a exclusão sociopolítica polarizam a sociedade brasileira entre a carência e o privilégio. Ora, uma carência é sempre particular e específica, não conseguindo generalizar-se num interesse comum nem universalizar-se num direito, e um privilégio, por definição, é sempre específico e particular, não podendo generalizar-se num interesse comum nem universalizar-se num direito sem deixar de ser privilégio. Na medida em que prevalecem carências e privilégios e os direitos não conseguem instituir-se, inexistem condições para a cidadania e para a democracia.

4) Na medida em que não operam os princípios da igualdade, da liberdade, da responsabilidade, da representação e da participação, nem o da justiça e o dos direitos, a lei não funciona como lei, isto é, não institui um polo de generalidade e universalidade social e política no qual a sociedade se reconheça. A lei opera como repressão, do lado dos carentes, e como conservação de privilégios, do lado dos dominantes. Por não ser reconhecida como expressão de uma vontade social, a lei é percebida como inútil, inócua, incompreensível, podendo ou devendo ser transgredida, em vez de ser transformada. Torna-se espaço privilegiado para a corrupção.

Esses quatro traços indicam o evidente: a sociedade brasileira é violenta, sua violência tendendo a aumentar com o avanço neoliberal, que fortifica carências e privilégios.

Como a universidade se mostra parte integrante e constitutiva desse tecido social oligárquico, autoritário e violento?

1) Com relação ao corpo discente: a universidade pública tem aceitado passivamente a destruição do ensino público de primeiro e segundo graus, a privatização desse ensino, o aumento das desigualdades educacionais e um sistema que reforça privilégios porque coloca o ensino superior público a serviço das classes e grupos mais abastados, cujos filhos são formados na rede privada no primeiro e segundo graus. Para agravar ainda mais esse quadro, alguns propõem "democratizar" a universidade pública fazendo-a paga, ainda que só devam pagar os "mais ricos". Procura-se remediar um problema destroçando o princípio ético-democrático do direito à educação.

2) Com relação ao corpo docente: na medida em que a economia opera com o desemprego e a inflação estruturais, ao mesmo tempo que fragmenta e dispersa todas as esferas da produção, os trabalhadores industriais e dos serviços, tendo perdido suas referências de classe e de luta, tendem à luta sob a forma corporativa de defesa das categorias profissionais. O corpo docente universitário tende, por sua vez, a imitar os procedimentos de organização e luta dos trabalhadores industriais e dos serviços, assumindo também a organização e a luta corporativas por empregos, cargos e salários. Ao fazê-lo, deixam as questões relativas à docência, à pesquisa, aos financiamentos e à avaliação universitária nas mãos das direções universitárias, perdendo de vista o verdadeiro lugar da batalha.

3) Com relação à docência: os universitários tendem cada vez mais a aceitar a separação entre docência e pesquisa, aceitando que os títulos universitários funcionem como graus hierárquicos de separação entre graduação e pós-graduação, em lugar de pensá-las integradamente. Além disso, e como consequência, aceitam a decisão das direções universitárias de reduzir a graduação à escolarização – número absurdo de horas-aula, desconhecimento, por parte de estudantes e docentes, de línguas estrangeiras, miséria bibliográfica e informativa, ausência de trabalhos de laboratório e de pequenas pesquisas de campo, etc. –, isto é, a redução da graduação a

um segundo grau avançado para a formação rápida e barata de mão de obra com diploma universitário. Em contrapartida, aceitam que a pós-graduação seja o funil seletivo de docentes e estudantes, aos quais é reservada a verdadeira formação universitária.

4) Com relação às universidades federais: de um lado, aceitação acrítica do modo como foram criadas para servir aos interesses e ao prestígio de oligarquias locais que as transformaram em cabides de empregos para clientes e parentes, não lhes dando condições materiais – bibliotecas, laboratórios, sistema de bolsas e de auxílios – para funcionarem como verdadeiras universidades; de outro lado, desconsideração, por parte do Poder Executivo, das lutas das universidades federais para superar essa origem e se transformar em universidades propriamente ditas. Essa mescla de aceitação e combate, que perpassa as universidades federais, vem desgastando o corpo docente e discente, desgaste reforçado pela atitude do Estado, que tende a reduzir os docentes à luta por cargos, salários e carreiras baseadas no tempo de serviço, em vez de baseadas na formação, pesquisa e apresentação de trabalhos relevantes para a ciência e as humanidades.

5) Com relação aos financiamentos das pesquisas: tendência à aceitação acrítica da privatização das pesquisas, perdendo de vista o papel público do trabalho de investigação. A aceitação dos financiamentos privados produz os seguintes efeitos principais: (a) perda da autonomia ou liberdade universitárias para definir prioridades, conteúdos, formas, prazos e utilização das pesquisas, que se tornam inteiramente heterônomas; (b) aceitação de que o Estado seja desincumbido da responsabilidade pela pesquisa nas instituições públicas; (c) aceitação dos financiamentos privados como complementação salarial e fornecimento de infraestrutura para os trabalhos de investigação, privatizando a universidade pública; (d) desprestígio crescente das Humanidades, uma vez que sua produção não pode ser imediatamente inserida nas forças produtivas, como os resultados das ciências; (e) aceitação da condição

terceiro-mundista para a pesquisa científica, uma vez que os verdadeiros financiamentos para pesquisas de longo prazo e a fundo perdido são feitos no Primeiro Mundo. Com relação aos órgãos públicos de financiamento, como Capes, CNPq ou Finep, sabe-se que a burocracia desses órgãos absorve a maior parte dos recursos em sua própria autorreprodução; há fragmentação dos financiamentos, sem clareza quanto aos objetivos e às prioridades, não há uma política para financiar e manter bibliotecas e laboratórios, para aquisição contínua e sistemática de materiais e instrumentos de precisão, nem para acompanhar, no longo prazo, grupos e centros universitários de pesquisa. Em contrapartida, a criação do Pronex, que oferece recursos para a infraestrutura de pesquisa e a continuidade dos trabalhos, visa desmantelar a pesquisa universitária propriamente dita, uma vez que os "centros de excelência" ou "grupos de excelência" passam ao largo da instituição universitária enquanto tal, existindo como existem, no mercado, as microempresas e franquias.

6) Com relação à administração universitária ou ao corpo de funcionários: impera a ausência de carreiras definidas, concursos públicos transparentes, clareza de funções. Não há programas de formação e atualização dos funcionários. Não há atualização dos procedimentos do trabalho administrativo, mesmo porque isso significaria quebrar por dentro a burocracia. Ora, a burocracia não é uma mera forma de administrar, mas é uma formação social e um tipo de poder cujos fundamentos são: a hierarquia dos cargos e funções, o segredo do cargo e a rotina dos serviços. Esses três fundamentos são claramente antidemocráticos, uma vez que a democracia recusa a hierarquia, pelo princípio da igualdade e do mérito, recusa o segredo em nome do direito à informação e afasta a rotina porque é a ação social contínua de criação de direitos e expressão legítima de conflitos.

Percebemos, assim, que as universidades públicas estão institucionalizadas de maneira a reproduzir todos os traços da sociedade brasileira:

- Reforço da carência e do privilégio, no caso do corpo discente; portanto, inexistência do princípio democrático da igualdade e da justiça.
- Reforço da perda de identidade e de autonomia, no caso do corpo docente; portanto, ausência do princípio democrático da liberdade.
- Reforço de privilégios e desigualdades, no caso do corpo docente, dividido hierarquicamente em professores e pesquisadores, reforço aumentado com a criação do Pronex, com desprezo pelo princípio democrático da ação comunicativa entre parceiros racionais, iguais e livres.
- Reforço dos privilégios e da heteronomia, no caso dos financiamentos privados às pesquisas, e, portanto, presença da mentalidade conservadora que não espera do pensamento a transcendência que lhe permite ultrapassar uma situação dada numa situação nova, a partir da noção de possibilidade objetiva; o possível fica reduzido ao provável, e este, às condições imediatamente dadas.
- Reforço do poder burocrático e da perda da ideia de serviço público aos cidadãos, no caso do corpo administrativo; portanto, do princípio democrático da responsabilidade pública, do direito do cidadão à informação e da visibilidade administrativa.
- Reforço da submissão aos padrões neoliberais que subordinam os conhecimentos à lógica do mercado e, portanto, ausência do princípio democrático da autonomia e da liberdade, de um lado, e da responsabilidade, de outro, uma vez que a utilização dos resultados científicos não é determinada nem pelos pesquisadores nem pelo poder público.
- Reforço da privatização do que é público, na medida em que as universidades públicas formam os pesquisadores com os recursos trazidos pela sociedade, mas os financiadores usam os pesquisadores para fins privados; portanto, ausência do princípio republicano da distinção entre o público e o privado e do princípio democrático que distingue os direitos e os interesses.

- Reforço da submissão ao pós-modernismo, que subordina as pesquisas ao mercado veloz da moda e do descartável, e, portanto, abandono do princípio ético da racionalidade consciente e do princípio político da responsabilidade social.
- Reforço dos padrões autoritários, oligárquicos e violentos da sociedade brasileira pela ausência de controle interno da universidade por ela mesma e pela ausência de verdadeira prestação de contas das atividades universitárias à sociedade, portanto, abandono do princípio democrático da informação dos e aos cidadãos.

O neoliberalismo, ao afirmar que os imperativos do mercado são racionais e que, por si mesmos, são capazes de organizar a vida econômica, social e política, introduz a ideia de competição e competitividade como solo intransponível das relações sociais, políticas e individuais. Dessa maneira, transforma a violência econômica em paradigma e ideal da ação humana. O pós-modernismo, subproduto da ideologia neoliberal, ao afirmar que as antigas ideias de razão, universalidade, consciência, liberdade, sentido da história, luta de classes, justiça, responsabilidade e as distinções entre natureza e cultura, público e privado, ciência e técnica, subjetividade e objetividade perderam a validade, passa a afirmar como realidades únicas e últimas a superfície veloz do aparecer social, a intimidade e a privacidade narcísicas, expostas publicamente sob a forma da propaganda e da publicidade, a competição e a vitória individual a qualquer preço.

O neoliberalismo, fragmentando e dispersando a esfera da produção, por meio da terceirização, usando a velocidade das mudanças científicas, tecnológicas e dos meios de informação, operando com o desemprego e a inflação estruturais, fez com que o capital passasse a acumular-se de modo oposto à sua forma clássica, isto é, não por absorção e incorporação crescente dos indivíduos e grupos ao mercado de trabalho e do consumo, mas por meio da exclusão crescente da maioria da sociedade, polarizando-a em dois grandes blocos: o da carência absoluta e o do privilégio absoluto. O pós-modernismo, aceitando os efeitos do neoliberalismo, tomou-os como verdade única e última, renunciou aos conceitos modernos de racionalidade, liberdade, felicidade, justiça e utopia, mergulhando no instante presente como tempo único e último.

A esse quadro é preciso acrescentar o segundo aspecto que mencionei e que nos diz diretamente respeito: as mudanças nas ciências e nas tecnologias.

A ciência antiga definia-se como teoria, isto é, para usarmos a expressão de Aristóteles, estudava aquela realidade que independe de toda ação e intervenção humanas. A partir do século XVII, a ciência moderna, ao contrário, afirmou que a teoria tinha como finalidade abrir o caminho para que os humanos se tornassem senhores da realidade natural e social. Todavia, a ciência moderna ainda acreditava que a realidade existia em si mesma, separada do sujeito do conhecimento, e que este apenas podia descrevê-la por meio de leis e agir sobre ela por meio das técnicas. A ciência contemporânea, porém, acredita que não contempla nem descreve realidades, mas as constrói intelectual e experimentalmente nos laboratórios. Essa visão da ciência como *engenharia* e não como conhecimento, desprezando a opacidade do real e as difíceis condições para instituir as relações entre o subjetivo e o objetivo, leva à ilusão de que os humanos realizariam hoje o sonho dos magos da Renascença, isto é, ser deuses porque capazes de criar a própria realidade e, agora, a própria vida.

A essa mudança do estatuto da ciência corresponde a mudança do estatuto da técnica. Para a ciência antiga, teoria e técnica nada possuíam em comum, a técnica sendo uma arte para encontrar soluções para problemas práticos sem qualquer relação com a ciência. A ciência moderna modificou o modo de existência dos objetos técnicos porque os transformou em objetos tecnológicos, isto é, em ciência materializada, de tal maneira que a teoria cria objetos técnicos e estes agem sobre os conhecimentos teóricos. A ciência contemporânea foi além ao transformar os objetos técnicos em autômatos, portanto, num sistema de objetos autorreferidos, autorregulados e dotados de lógica própria, capazes de intervir não só sobre teorias e práticas, mas sobre a organização social e política. Como sabemos, a ciência e a técnica contemporâneas tornaram-se forças produtivas e trouxeram um crescimento brutal do poderio humano sobre o todo da realidade, que, afinal, é construída pelos próprios homens. As tecnologias biológicas, nucleares, cibernéticas e de informação revelam a capacidade humana para um controle total sobre a natureza, a sociedade e a cultura, não sendo casuais as expressões *engenharia genética*, *engenharia política*, *engenharia social*. Controle que, não sendo puramente intelectual, mas determinado pelos poderes econômicos e políticos, pode ameaçar todo o planeta.

Ora, filósofos e cientistas antigos e modernos haviam apostado nos conhecimentos como fontes liberadoras para os seres humanos: seriam liberados do medo e da superstição, das carências impostas por uma natureza hostil e sobretudo do medo da morte, graças aos avanços das ciências, das técnicas e de uma política capaz de deter as guerras. A ciência e a tecnologia contemporâneas, submetidas à lógica neoliberal e à ideologia da competência, parecem haver se tornado o contrário do que delas se esperava: em lugar de fonte de conhecimento contra as superstições, criaram a ciência e a tecnologia como novos mitos e magias; em lugar de fonte liberadora das carências naturais e cerceamento de guerras, se tornaram, através do complexo industrial-militar, causas de carências e genocídios. Surgem como poderes desconhecidos, incontroláveis, geradores de medo e de violência, negando a possibilidade da ação ética como racionalidade consciente, voluntária, livre e responsável, sobretudo porque operam sob a forma do segredo (o controle das informações como segredos de Estado e dos oligopólios transnacionais) e da desinformação propiciada pelos meios de comunicação de massa.

Se a ética está referida à recusa da violência, à ideia de intersubjetividade consciente e responsável, à ideia da igualdade e da justiça, à ideia da liberdade como criação do possível no tempo, e se a democracia se institui como invenção, reconhecimento e garantia de direitos, baseados nos princípios da igualdade e da diferença, e se a forma contemporânea do capitalismo e da ideologia são contrários aos valores e às normas que constituem o campo ético, creio que nossa primeira tarefa, enquanto universitários, é o combate lúcido ao que impede a democracia e a ética democrática na sociedade contemporânea.

Não tenho vocação apocalíptica. Esse quadro não pretende ser o retrato de uma realidade inelutável como um destino cego contra o qual nada se possa fazer. O que quis enfatizar é que, se não lutarmos contra o neoliberalismo, nossas tentativas para reconstruir a escola pública nos seus três graus estará prometida ao fracasso. O neoliberalismo não é uma lei natural nem uma fatalidade cósmica, nem muito menos o fim da história. Ele é a ideologia de uma forma histórica particular assumida pela acumulação do capital, portanto, algo que os homens fazem em condições determinadas, ainda que não o saibam, e que podem deixar de fazer se, tomando consciência delas, decidirem organizar-se contra elas. Walter Benjamin escreveu que era preciso narrar a história a contrapelo, narrando-a do ponto de vista dos vencidos porque a história dos vencedores é a barbárie. Temos simplesmente de ter a coragem de ficar na contracorrente e a contrapelo da vaga vitoriosa do neoliberalismo. Afinal, como dissera La Boétie, só há tirania onde houver servidão voluntária.

Contra o discurso competente[1]

Ocorre nas sociedades contemporâneas um fenômeno social e político de graves consequências: um processo de formação de pessoas competentes cuja contrapartida é a aparição dos incompetentes sociais. Ou melhor, a invenção da competência tem como alvo criar os incompetentes. Quem é o competente? Em nossas sociedades, é aquele que possui um saber determinado, institucionalmente reconhecido, graças ao qual pode não só falar e agir pelos outros, mas ainda, e sobretudo, excluir outros do direito de ser sujeitos de seus discursos e de suas ações. Quem é o incompetente? Em nossas sociedades, é aquele que foi expropriado de sua condição de sujeito e convertido em objeto do saber e da prática dos competentes. Sob a auréola da neutralidade e da objetividade dos conhecimentos técnico-científicos, a competência é um poderoso elemento ideológico para justificar (ocultando) o exercício da dominação.

Dessa maneira, quando se considera natural e necessário o fato de a complexidade do desenvolvimento tecnológico tornar inelutável a submissão do trabalhador ignorante ao técnico sapiente, considera-se não só legitimo que "quem sabe" mande em quem "não sabe", como ainda se admite que o desenvolvimento tecnológico, tal como o conhecemos, foi e é o único possível. Com isso, permanece na sombra o fato de que supor a existência dos que "não sabem" é desconsiderar o

[1] Originalmente publicado em: *Folha de S.Paulo*, São Paulo, 1982. Folhetim, p. 3.

saber verdadeiro e real que possuem, além de permanecer na sombra o fato de a tecnologia por nós conhecida ter sido desenvolvida de modo a excluir os trabalhadores do conhecimento, da decisão e do controle do processo de trabalho.

Através da divisão do conhecimento em especialidades e da hierarquização burocrática dos especialistas, nossas sociedades produziram a incompetência em toda parte. Assim, por exemplo, certas tendências das ciências sociais conseguiram a proeza de convencer a família de que ela deve ser e deve funcionar de um certo modo (ser "autêntica", vivendo sem pejo e sem medo todos os sentimentos de amor e ódio que nela existem), mas que não tem competência para compreender e resolver o que nela acontece. A compreensão e a solução dos conflitos devem vir de fora, pela intervenção dos especialistas. A família pode ser sujeito de seus sentimentos, mas deve ser objeto da explicação dos detentores de conhecimentos.

Poderíamos multiplicar exemplos nos quais a ampliação real dos conhecimentos ocorreu simultaneamente à perda, também real, dos conhecimentos que sujeitos sociais possuíam de sua realidade. A competência, como processo social de exclusão e de invalidação de pessoas, redunda no discurso competente, cuja marca distintiva é o direito conferido a alguns para falar pelos outros e cujo exercício pode ser assim resumido: não é qualquer um que pode dizer a qualquer outro qualquer coisa em qualquer lugar e em qualquer circunstância. Regras, normas e ritos burocráticos decidem quem pode falar e ouvir, onde e quando isso pode ocorrer.

Por que nos voltamos aqui para o discurso competente? Porque, num programa recente de televisão, um grupo de especialistas foi convidado para explicar à população "incompetente" as causas e os efeitos da morte de Elis Regina. Providas de conhecimentos reais sobre os entorpecentes, essas pessoas discutiram o assunto sem que nenhuma delas, por um instante sequer, tivesse posto em dúvida a veracidade do laudo apresentado pelo IML. Uma delas chegou mesmo a dizer que "aproveitava a morte de Elis" para lançar "um alerta à juventude", instrumentalizando a morte para fins educativos... Sintomaticamente, não a vimos indagar se os jovens acreditavam no laudo, nem o que pensavam dos acontecimentos. Não estamos levantando suspeitas sobre a boa-fé dos que organizaram o programa nem dos que dele participaram (se o fizéssemos, estaríamos nos dando o lugar da competência). Estamos simplesmente meditando sobre o compromisso invisível entre a moderna competência e formas de dominação.

Ninguém ignora quão nefasto pode ser o consumo de drogas. Mas ninguém ignora ser mais nefasto (e nefando) o poderio intocável de quem as produz e distribui. Não está aí o governo boliviano, assentado no tráfico oficial de entorpecentes e no massacre de trabalhadores? Ninguém ignora o quanto uma sociedade, cujo presente é adverso e cujo futuro é incerto, leva muitos de seus membros a procurar um meio que os livre do fato inelutável de pertencerem a ela. Estarão nossos corações e nossas mentes tão entorpecidos que não nos lembramos do drama dos jovens estadunidenses, quando, diante do genocídio no Vietnã, viram ruir a imagem que os embalara na confiança de serem cidadãos de um mundo que prezava a liberdade acima de tudo? Muita vez, rebelião não é pegar as armas: é recusar-se a usá-las.

Desconsiderar os aspectos autoritários e repressivos das "sociedades de abundância" e os das "sociedades da miséria" pode não só limitar a questão dos entorpecentes à psicologia e ao noticiário policial, mas ainda, e sobretudo, isentar os dominantes. Há que lamentar o uso da droga como ferramenta do esquecimento. Mas isso não justifica transformar em emblemas de alienação criaturas que deram tudo de si na invenção de um mundo melhor. Mais do que injusto, esse procedimento beira a ignomínia. E, quando praticado, ainda que involuntariamente, por aqueles que detêm o saber numa sociedade que mitifica a "explicação científica", é exercício de poder.

Quando se lança sobre Elis Regina a pecha de "incompetente" (para viver e para "se drogar"), não saem machucadas apenas a artista, a cidadã e a mulher. Também sai machucada a verdade. Afinal, por que o discurso competente silenciou o fato de o laudo de Elis ter sido perpetrado por alguém que atestou "morte por suicídio"[2] daqueles chorados por Marias e Clarices?[3]

[2] Trata-se do médico legista Harry Shibata. (N.E.)

[3] Verso da música "O bêbado e a equilibrista", de João Bosco e Aldir Blanc, interpretada por Elis Regina. (N.E.)

O pacote competente[1]

Muitos se insurgem quando criticamos a ideologia da competência. "Não é por incompetência que o País se encontra em tal situação?", indagam. De nossa parte, cremos haver falta de competência porque há excesso de ideologia competente, o mito da competência.

Simplificadamente, digamos que a ideologia e o mito da competência possuem três características principais: (1) aceitação da divisão do conhecimento em especialidades cada vez mais fragmentadas ditadas não por necessidades internas aos próprios conhecimentos (que se enriquecem e se complicam internamente), mas por imperativos administrativos, burocráticos e mercantis, que nada têm a ver com o próprio saber; (2) transformação das especialidades (administrativamente concebidas) em propriedade de especialistas e em direito à autoridade ou ao poder de decisão e de controle sobre ações, pensamentos e sentimentos dos não especialistas, isto é, conversão do conhecimento em exercício de poderio; (3) uso desse poderio para um verdadeiro processo de intimidação social e política no qual os que não possuem o suposto saber dos "competentes" são transformados em incompetentes para agir, pensar e sentir por conta própria, precisando da aprovação e do consentimento dos guias especializados de plantão. Em suma, a ideologia e o mito da competência são o uso do conhecimento para criar incompetentes sociais, desqualificando o que possam realmente

[1] Originalmente publicado em: *Folha de S.Paulo*, São Paulo, 13 jun. 1983, p. 3.

saber e fazer, justificando, assim, a exploração econômica, a dominação política e a exclusão cultural de uma parte da sociedade por outra. A ideologia da competência, negação da competência real, garante a alguns o direito de dirigir, controlar, manipular e punir os demais, reduzidos a meros executantes de ordens cujo fim, sentido e origem permanecem secretos. Esse mito transforma a capacidade real do processo de conhecimento em álibi para mandar e desmandar. O mito da competência é incompatível com a democracia social, política, econômica e cultural.

No Brasil, essa ideologia é poderosa porque floresce em solo propício: de um lado, o autoritarismo político; de outro, o acesso à cultura letrada erudita e científica como privilégio de classe (o analfabetismo, o pequeno número de pesquisadores, a desqualificação do saber popular evidenciam tal situação) permitem transformar questões políticas em problemas técnico-administrativos que as despolitizam em variáveis de equações esdrúxulas montadas pelos "competentes".

Exemplo vivo dessa ideologia da competência é o último pacote econômico.[2] Independentemente de sua incompetência real para os fins a que se destina (baixar a inflação, reduzir a recessão e o desemprego, saldar a dívida externa), mais interessante é sua linguagem. Incompreensível. Corre-corre à cata de entendidos que explicassem à população atônita o que lhe vai acontecer. Pedidos de jornalistas aos ministros para que traduzissem em língua de gente a cabala escrita. Inútil. Repetiram por via oral o hermetismo da via gráfica. Palavras mágicas no léxico nacional: indexação, desindexação. Percentuais saltitantes – os "competentes" sempre acham que muito número é prova de "ciência" – para colorir a arbitrariedade de decisões que, todos sabem, lesarão drasticamente os assalariados (os "canais competentes" julgam combater inflação com arrocho e não com reajustes de preços).

[2] Na intenção de rolar a divida externa, o governo brasileiro estabeleceu acordos com o FMI em janeiro de 1983. Nos meses seguintes, contudo, a inflação galopante, o aumento do desemprego e baixo nível de crescimento econômico impediram que as autoridades econômicas cumprissem as metas estabelecidas com o FMI, que, assim, sustou a liberação dos empréstimos. As "autoridades econômicas" receberam um ultimato e acabaram por ceder às imposições do FMI: iniciaram em junho de 1983 a série de pacotes econômicos que vinham para aplicar o receituário ortodoxo da economia política neoliberal. (N.O.)

Por que a obscuridade? Pode ser fala de oráculo? Por haver ali um conhecimento real pedindo linguagem especializada? De modo algum. Simplesmente para garantir nossa incompetência, pois ninguém pode lutar contra o que não conhece nem compreende. Onde o engodo? Em tudo. Mas particularmente no tal "déficit público" (público?), pois, se aparece inicialmente como déficit das empresas estatais (Brasil Potência, ano 2000) a ser corrigido com o desemprego de seus assalariados, logo a seguir, fiquemos certos, será atribuído aos serviços públicos cujo corte, privatizando as áreas de saúde, educação, transporte e moradia à revelia dos contribuintes, aumentará a miséria.

Simulacro e poder: uma análise da mídia[1]

Simulacro e fantasma

Simulacrum é uma palavra latina derivada de *similis*, que significa "o semelhante". De *símilis* vem o verbo *simulare*, que significa "representar exatamente", "copiar", "tomar a aparência de"; este último sentido leva o verbo a significar também "fingir", "simular". Ou seja, *simulacrum* pode significar uma representação ou cópia exata de alguma coisa percebida ou o oposto disso, isto é, um fingimento, uma simulação. Esse duplo sentido aparece em nossa língua quando dizemos, por exemplo, que o cientista faz uma simulação do fenômeno, isto é, procura representá-lo por meio de experimentos que ofereçam imagens que o expliquem exatamente; aparece também quando dizemos que alguém é hipócrita ou falso porque é um simulador.

Simulacrum é a imagem por representação (pintura, escultura, imagem no espelho, música). Em outras palavras, *o simulacro é um duplo, porque é a imagem de uma coisa percebida*. Por meio dele, passamos da percepção de uma coisa à sua representação ou à sua reprodução

[1] Este texto foi originalmente uma conferência proferida no Ciclo Rede Imaginária, na Casa da Gávea, Rio de Janeiro, em 1993. Fizemos algumas atualizações com relação aos exemplos de fatos e acontecimentos, pois vários dos que havíamos apresentado podem não ser do conhecimento de leitores mais jovens. E acrescentamos algumas considerações sobre informática, meios digitais e multimídia. Originalmente publicado pela Editora Fundação Perseu Abramo, São Paulo, 2000.

numa imagem, como na pintura, na escultura, no retrato, no espelho, na música.

O filósofo grego Epicuro e o filósofo latino Lucrécio afirmam que todo conhecimento é sensação e composição de sensações. Uma sensação oferece uma imagem sensorial de uma coisa – cor, sabor, odor, textura, som –, e a ideia dessa coisa é uma composição dessas imagens sensoriais (visuais, sonoras, olfativas, gustativas, táteis), uma síntese feita pelo nosso pensamento. De acordo com esses dois filósofos, a imagem sensorial é uma fina película que as coisas emitem incessantemente – essa película emitida é a coisa que chega até nós duplicada em imagem. Lucrécio chama essa película de *simulacrum*, entendido como representação sensorial ou cópia exata de uma coisa percebida pelos órgãos dos sentidos. A película (ou o *simulacrum*) reproduz para nossos órgãos dos sentidos a figura e as qualidades da coisa que a emite. As películas se desprendem incessantemente das coisas, ficam soltas no ar e, quando encontram nosso corpo, produzem a sensação, isto é, imagens visuais, sonoras, táteis, olfativas e gustativas; a composição dessas imagens pelo pensamento nos dá a percepção completa da coisa ou sua ideia.

Se todo conhecimento é feito de imagens e se as películas reproduzem as coisas, como podemos nos enganar sobre estas? Como é possível o erro? Responde Lucrécio que o engano ou o erro decorre de duas causas. A primeira provém do fato de que as películas de uma coisa, que sem cessar esvoaçam velozmente pelo ar, encontram-se com as de outras coisas e se deformam, chegando distorcidas aos nossos órgãos dos sentidos – a emissão é confusa, confundimos imagens de coisas diferentes e nos enganamos. A segunda causa provém do fato de que as películas que chegam a nós se compõem com outras que já estavam em nós, e todas se deformam – é o que acontece sobretudo no sonho (quando cremos ver e ouvir coisas que não existem realmente), nas alucinações causadas por febres (que nos fazem ter imagens assustadoras das coisas), na doença (quando, por exemplo, nosso paladar sente apenas o amargo ou o ácido dos alimentos e das bebidas, não os percebendo corretamente) e na loucura (quando passamos a conviver com coisas e pessoas irreais). Nesse segundo caso, a distorção e a deformação das imagens produzem a passagem do simulacro entendido como cópia das coisas ao simulacro entendido como *fantasma*: nossa fantasia (a imaginação) compõe imagens reunindo as imagens novas que nos chegam e as que já estavam em nós, criando imagens de coisas e seres inexistentes ou fantásticos, os fantasmas.

Estes, por seu aspecto incomum ou inusitado, nos espantam, apavoram, aterrorizam e ficam em nós sob a forma de crenças que nos enchem de medo. Desse medo, diz Lucrécio, nasce a superstição, e desta nasce o poder que alguns passam a exercer sobre outros, manipulando suas crenças. Passamos, assim, ao segundo sentido de *simulacrum*: tomar a aparência de, simular, dissimular, fingir, enganar. É aqui que vem se exercer o poder da mídia, que emite e manipula fantasmas.

Destruição da esfera da opinião pública

Faz parte da vida da maioria da população brasileira ser espectadora de um tipo de programa de televisão no qual a intimidade das pessoas é o objeto central do espetáculo: programas de auditório, de entrevistas e de debates com adultos, jovens e crianças contando suas preferências pessoais desde o sexo até o brinquedo, da culinária ao vestuário, da leitura à religiosidade, do ato de escrever ou encenar uma peça teatral aos hábitos de lazer e cuidados corporais. O ponto culminante desse tipo de espetáculo é o programa intitulado *Big Brother*.

As ondas sonoras do rádio e as transmissões televisivas tornam-se cada vez mais consultórios sentimental, sexual, gastronômico, geriátrico, ginecológico, culinário, de cuidados com o corpo (ginástica, cosméticos, vestuário, medicamentos), de jardinagem, carpintaria, bastidores da criação artística, literária e da vida doméstica. Os entrevistados e debatedores, os competidores dos torneios de auditório, os que aparecem nos noticiários, todos são convidados e mesmo instados com vigor a que falem de suas preferências, indo desde sabores de sorvete até partidos políticos, desde livros e filmes até hábitos sociais. Não é casual que os noticiários, no rádio e na televisão, ao promover entrevistas em que a notícia é intercalada com a fala dos direta ou indiretamente envolvidos no fato, tenham sempre repórteres indagando a alguém: “O que você sentiu/sente com isso?” ou “O que você achou/acha disso?” ou “Você gosta? Não gosta disso?”. Não se pergunta aos entrevistados o que pensam ou o que julgam dos acontecimentos, mas o que sentem, o que acham, se lhes agrada ou desagrada. Há programas de entrevista no rádio e na televisão que ou simulam uma cena doméstica – um almoço, um jantar – ou se realizam nas casas dos entrevistados durante o café da manhã, o almoço ou o jantar, nos quais a casa é exibida, os hábitos cotidianos são descritos e comentados, álbuns de família ou a própria são mostrados ao vivo e em cores. Houve uma rede de televisão brasileira que conseguiu, com ousadia e exclusividade, uma entrevista com o presidente da Líbia, logo após o bombardeio de sua casa pela aviação estadunidense, em 1986. Foi constrangedor para Kadafi e para os telespectadores ouvir as perguntas: "O que o senhor sentiu quando percebeu o bombardeio? O que o senhor sentiu quando viu sua família ameaçada? O que o senhor achou desse ato dos inimigos?". Nenhuma pergunta sobre o significado do atentado na política e na geopolítica do Oriente Próximo; nenhuma indagação que permitisse furar o bloqueio das informações a que as agências noticiosas estadunidenses submetem a Líbia. A longa entrevista reduziu-se aos sentimentos paternos e conjugais de Kadafi perante o terrorismo inimigo. "Onde está morando sua família agora?", indagava a repórter. "O senhor sente saudades dela?" Em suma, o acontecimento político foi transformado em uma tragédia doméstica e da vida pessoal de uma das mais importantes lideranças do mundo árabe.

Também se tornou um hábito nacional jornais e revistas especializarem-se cada vez mais em telefonemas a "personalidades", indagando-lhes sobre o que estão lendo no momento, que filme foram ver na última semana, que roupa usam para dormir, qual a lembrança infantil mais querida que guardam na memória, que música preferiam aos 15 anos de idade, o que sentiram diante de uma catástrofe nuclear ou ecológica, ou diante de um genocídio ou de um resultado eleitoral, qual o sabor de sorvete preferido, qual o restaurante predileto, qual o perfume desejado. Os assuntos se equivalem, todos são questão de gosto ou preferência, todos se reduzem à igual banalidade do "gosto" ou "não gosto", do "achei ótimo" ou "achei horrível".

Essa mesma tendência aparece, por exemplo, como regra de trabalho de muitos articulistas de jornais e revistas, que não nos informam sobre fatos, acontecimentos e situações, mas gastam páginas inteiras nos contando seus sentimentos, suas impressões e opiniões sobre pessoas, lugares, objetos, acontecimentos e fatos que continuamos a desconhecer porque conhecemos apenas sentimentos e impressões daquele que deles fala. Esse procedimento acabou por se tornar até mesmo paradigma para as resenhas de livros e filmes. A resenha começa nos dizendo que seu autor conhece o assunto melhor do que o escritor, o diretor, o compositor, o intérprete. Depois de assegurar ao leitor sua superioridade, o resenhista, ainda sem nos dizer do que está tratando, conta-nos as ideias excelentes que ele próprio teve durante a leitura, a projeção ou audição do objeto a ser resenhado; a seguir, conta-nos as associações com outras obras que a obra resenhada lhe sugeriu, revelando-nos um resenhista muito cultivado em seu campo. Mais adiante, o resenhista, quando possível, narra algum fato ou alguns fatos que mostram que ele conhece pessoalmente o autor da obra e o que acha dele. Finalmente, no último parágrafo, somos informados sobre o título da obra, o tratamento do assunto, o nome do autor e onde encontrar a obra. Ao término da leitura nada sabemos sobre o autor e a obra, mas sabemos muitíssimo sobre as preferências e os gostos do resenhista.

Sem dúvida, ninguém ignora que essas modalidades de programas de rádio e televisão, de entrevistas, crônicas e resenhas obedecem aos padrões de mercado: ao exprimir sua preferência, a "personalidade" (seja o entrevistado, o cronista ou o resenhista) avaliza um produto e garante sua venda no mercado cultural, no mercado político ou no mercado *tout court*. Trata-se do mesmo procedimento usado diretamente na propaganda, que tanto pode recorrer aos estereótipos da dona de casa feliz (tendo orgasmo com a qualidade do detergente ou da margarina), dos jovens felizes e saudáveis, prometidos ao sucesso e à exibição do prazer em todas as suas formas (prazer suscitado pelos objetos que perderam a qualidade de símbolos sexuais para se tornarem diretamente fetiches sexuais), das crianças felizes e traquinas, prometidas ao amor familiar (o amor definido pela capacidade dos familiares de satisfazer imediatamente todos os desejos infantis, de gratificar imediatamente as crianças com o consumo dos objetos, de cultivar o narcisismo infantil até suas últimas consequências). O estereótipo da propaganda pode alcançar o ponto máximo de irrealidade quando o produto é anunciado por atores que representam para o consumidor o papel que representam em novelas, de sorte que, nessa duplicação ficcional do ator como propagandista, reencontramos a mesma situação das "personalidades" entrevistadas sobre seus gostos e suas preferências.

Como observa Christopher Lasch, no livro *A cultura do narcisismo*,[2] os *mass media* tornaram irrelevantes as categorias da verdade e da falsidade, substituindo-as pelas noções de credibilidade ou plausibilidade e confiabilidade – para que algo seja aceito como real, basta que apareça como crível ou plausível, ou como oferecido por alguém confiável. Os fatos cederam lugar a declarações de "personalidades autorizadas", que não transmitem informações, mas preferências, as quais se convertem imediatamente em propaganda. Como escreve Lasch, "sabendo que um público cultivado é ávido por fatos e cultiva a ilusão de estar bem informado, o propagandista moderno evita *slogans* grandiloquentes e se atém a 'fatos', dando a ilusão de que a propaganda é informação". Esse procedimento é empregado pelas burocracias (empresariais e estatais) por meio do discurso especializado da técnica e da pseudociência, que "provê" os funcionários com informação e o público com desinformação. No caso do Estado, a sutileza consiste em aumentar propositadamente a obscuridade do discurso para que o cidadão se sinta tanto mais informado quanto menos puder raciocinar, convencido de que as decisões políticas estão com especialistas – críveis e confiáveis – que lidam com problemas incompreensíveis para os leigos.

Qual a base de apoio da credibilidade e da confiabilidade? A resposta encontra-se em outro ponto comum aos programas de auditório, às entrevistas, aos debates, às indagações telefônicas de rádios, revistas e jornais, aos comerciais de propaganda. Trata-se do apelo à intimidade, à vida privada como suporte e garantia da ordem pública. Em outras palavras, os códigos da vida pública passam a ser determinados e definidos pelos códigos da vida privada, abolindo-se a diferença entre espaço público e espaço privado.

As relações interpessoais, as relações intersubjetivas e as relações grupais aparecem com a função de ocultar ou de dissimular as relações sociais enquanto sociais e as relações políticas enquanto políticas, uma vez que a marca das relações sociais e políticas é serem determinadas pelas instituições sociais e políticas, ou seja, são relações mediatas, diferentemente das relações pessoais, que são imediatas,

[2] LASCH, Christopher. *Cultura do narcisismo.* Rio de Janeiro: Imago, 1983.

isto é, definidas pelo relacionamento direto entre pessoas, e, por isso mesmo, nelas os sentimentos, as emoções, as preferências e os gostos têm papel decisivo. As relações sociais e políticas, que são mediações referentes a interesses e a direitos regulados pelas instituições, pela divisão social das classes e pela separação entre o social e o poder político, perdem sua especificidade e passam a operar sob a aparência da vida privada, portanto referidas a preferências, sentimentos, emoções, gostos, agrado e aversão.

Não é casual, mas uma consequência necessária dessa privatização do social e do político, a destruição de uma categoria essencial das democracias, qual seja, a da opinião pública. Esta, em seus inícios liberais, era definida como a expressão, no espaço público, de uma reflexão individual ou coletiva sobre uma questão controvertida e concernente ao interesse ou ao direito de uma classe social, de um grupo ou mesmo da maioria. A opinião pública era um juízo emitido em público sobre uma questão relativa à vida política, era uma reflexão feita em público e por isso definia-se como uso público da razão e como direito à liberdade de pensamento e de expressão.

É sintomático que hoje se fale em "sondagem de opinião". Com efeito, a palavra "sondagem" indica que não se procura a expressão pública racional de interesses ou direitos, e sim que se vai buscar um fundo silencioso, um fundo não formulado e não refletido, isto é, que se procura fazer vir à tona o não pensado, que existe sob a forma de sentimentos e emoções, de preferências, gostos, aversões e predileções, como se os fatos e os acontecimentos da vida social e política pudessem vir a se exprimir pelos sentimentos pessoais. Em lugar de opinião pública, tem-se a manifestação pública de sentimentos.

Isso explica o porquê da pergunta que os repórteres incansavelmente dirigem aos entrevistados: o que sentem ou o que sentiram diante dos acontecimentos, ficando por conta do emissor da notícia oferecer informações, interpretações e explicações, usando para estas últimas o jargão de uma linguagem pseudotécnica ou científica incompreensível, de sorte a oferecer aos demais a ilusão de que conhecem os fatos porque têm sentimentos e preferências sobre eles, porque confiam nos sentimentos dos entrevistados e porque algum especialista apresentou uma explicação crível.

Nada mais constrangedor e, ao mesmo tempo, nada mais esclarecedor do que os instantes em que o noticiário coloca nas ondas sonoras ou na tela os participantes de um acontecimento falando de seus sentimentos, enquanto locutores explicam e interpretam o que se passa, como se os participantes fossem incapazes de pensar e de emitir juízo sobre aquilo de que foram testemunhas diretas e partes envolvidas. Constrangedor porque o rádio e a televisão declaram tacitamente a incompetência dos participantes e envolvidos para compreender e explicar fatos e acontecimentos de que são protagonistas. Esclarecedor porque esse procedimento permite, no instante mesmo em que se dão, criar a versão do fato e do acontecimento como se fossem o próprio fato e o próprio acontecimento. Assim, uma partilha é claramente estabelecida: os participantes "sentem", portanto não sabem nem compreendem (não pensam); em contrapartida, o locutor pensa, portanto sabe e, graças ao seu saber, explica o acontecimento. O que isso significa?

Muitos supõem que o totalitarismo descrito por George Orwell no livro *1984* é algo que se passa nos países do Leste Europeu e asiáticos. Nesses regimes totalitários haveria instituições semelhantes àquela criada por Orwell com o nome de Ministério da Verdade, cuja função é produzir a mentira: destrói e inventa palavras (produz a "novilíngua", que diz apenas o que os dirigentes querem que seja dito), reescreve a história de acordo com os desígnios do poder e abole a memória dos acontecimentos reais. Os que julgam que *1984* se refere aos regimes totalitários tornaram-se incapazes de perceber que nos chamados países democráticos os procedimentos orwellianos são usados cotidianamente, diante de nossos olhos e ouvidos, não apenas enquanto ouvintes, telespectadores e leitores, mas de maneira mais assustadora quando somos protagonistas daquilo que o "formador de opinião" (o jornalista no rádio, na televisão e na imprensa) descreve e narra e que nada tem a ver com o acontecimento ou o fato de que fomos testemunhas diretas ou participantes diretos. Testemunhas, participantes, protagonistas, entrevistados, ouvintes, espectadores, leitores, a nós restam apenas sentimentos e emoções, porque a opinião é emitida de um lugar outro, o lugar do saber como lugar do poder (voltaremos a isso mais adiante).

É possível perceber três deslocamentos por que passaram a ideia e a prática da opinião pública: o primeiro, como salientamos, é a substituição da ideia de uso público da razão para exprimir interesses e direitos de um indivíduo, um grupo ou uma classe social pela ideia de expressão em público de sentimentos, emoções, gostos e preferências individuais; o segundo, como também observamos, é a substituição do direito de cada um e de todos de opinar em público pelo poder de alguns para exercer esse direito, surgindo, assim, a curiosa expressão "formador de opinião", aplicada a intelectuais, artistas e jornalistas; o terceiro, que ainda não havíamos mencionado, decorre de uma mudança na relação entre os vários meios de comunicação sob os efeitos das tecnologias eletrônica e digital e da formação de oligopólios midiáticos globalizados (alguns autores afirmam que o século XXI começou com a existência de dez ou doze conglomerados de *mass media* de alcance global). Esse terceiro deslocamento se refere à forma de ocupação do espaço da opinião pública pelos profissionais dos meios de comunicação.

O caso mais interessante é, sem dúvida, o do jornalismo impresso. Em tempos passados, cabia aos jornais a tarefa noticiosa, e um jornal era fundamentalmente um órgão de notícias. Sem dúvida, um jornal possuía opiniões e as exprimia: isso era feito, de um lado, pelos editoriais e por artigos de não jornalistas, e, de outro, pelo modo de apresentação da notícia (escolha das manchetes e do "olho", determinação da página em que deveria aparecer e na vizinhança de quais outras, do tamanho do texto, da presença ou ausência de fotos, etc.). Ora, com os meios eletrônicos e digitais e a televisão, os fatos tendem a ser noticiados enquanto estão ocorrendo, de maneira que a função noticiosa do jornal é prejudicada, pois a notícia impressa é posterior à sua transmissão pelos meios eletrônicos e pela televisão. Ou na linguagem mais costumeira dos meios de comunicação: no mercado de notícias, o jornalismo impresso vem perdendo competitividade (alguns chamam isso de progresso; outros, de racionalidade inexorável do mercado!).

O resultado dessa situação foi duplo: de um lado, a notícia é apresentada de forma mínima, rápida e, frequentemente, inexata – o paradigma é o jornal *US Today* e o modelo conhecido como *newsletter* – e, de outro, deu-se a passagem gradual do jornal como órgão de notícias a órgão de opinião, ou seja, os jornalistas comentam e interpretam as notícias, opinando sobre elas. Gradualmente desaparece uma figura essencial do jornalismo: o jornalismo investigativo, que cede lugar ao jornalismo assertivo ou opinativo. Os jornalistas passam, assim, a ocupar o lugar que, tradicionalmente, cabia a grupos e classes sociais e a partidos políticos. Todavia, sua opinião não fica restrita ao meio impresso: passa a servir como material para os noticiários de rádio e televisão, ou seja, nesses noticiários, a notícia é interpretada e avaliada graças à referência às colunas dos jornais.

Os deslocamentos mencionados e, particularmente, este último não teriam consequências graves se não tivessem ocorrido ao mesmo tempo que se deu a concentração do poder econômico midiático. Desse ponto de vista, os meios de comunicação tradicionais (jornal, rádio, cinema, televisão) sempre foram propriedade privada de indivíduos e grupos, não podendo deixar de exprimir seus interesses particulares ou privados, ainda que isso sempre tenha imposto problemas e limitações à liberdade de expressão, que fundamenta a ideia de opinião pública. Hoje, porém, os dez ou doze conglomerados de alcance global controlam não só os meios tradicionais, mas também os novos meios eletrônicos e digitais, e avaliam em termos de custo-benefício as vantagens e desvantagens do jornalismo escrito ou da imprensa, podendo liquidá-la, se não acompanhar os ares do tempo.

Estudos mostram que, para tentar salvar-se, "o jornalismo está ficando cada vez mais rápido, inexato e barato" e que, para tentar conservar um público leitor, julga que deve dirigir-se a públicos específicos, havendo, assim, "ascensão do partidarismo, que, no entanto, deixa o leitor ainda mais desconfiado em relação às notícias". E, finalmente, para assegurar o que se convencionou chamar de credibilidade e plausibilidade, e fazer jornalismo opinativo ou assertivo, rápido e barato, o jornalista passa a "fazer buscas assertivas globais [via internet e consulta a 'personalidades'], de forma aleatória e automática, e a mesclar informações confiáveis com informações não confiáveis".[3]

Rápido, barato, inexato, partidarista, mescla de informações aleatoriamente obtidas e pouco confiáveis, não investigativo, opinativo ou assertivo, detentor da credibilidade e da plausibilidade, o jornalismo se tornou protagonista da destruição da opinião pública.

[3] Essas várias citações foram feitas a partir de: COSTA, Caio Túlio. Modernidade líquida, comunicação concentrada. *Revista USP,* São Paulo, n. 66, p. 178-197, jun.-ago. 2005. Disponível em: <http://www.revistas.usp.br/revusp/article/viewFile/13446/15264>. p. 187, 188, 192.

Encenação: a produção do simulacro

Para muitos, o maior malefício trazido à cultura pelos meios de comunicação de massa têm sido a banalização cultural e a redução da realidade à mera condição de espetáculo. Não cremos que a dimensão do espetáculo tenha sido criada pela comunicação de massa nem que o espetáculo, enquanto tal, seja um malefício para a cultura, pois é próprio da obra de pensamento e da obra de arte oferecer-se e expor-se ao pensamento, à sensibilidade e à imaginação de outrem para que lhes confira sentido e as prossiga. Espetáculo e especulação possuem a mesma origem e estão ligados à ideia do conhecimento como operação do olhar e da linguagem. A cultura está impregnada de seu próprio espetáculo, do fazer ver e do se deixar ver.[4] A questão, portanto, não se coloca diretamente sobre os espetáculos, mas com o que sucede ao espetáculo quando capturado, produzido e enviado pelos meios de comunicação de massa.

Tomemos um exemplo. O que é a missa católica senão o espetáculo do mistério do sagrado? Quando o oficiante, no momento da consagração, ergue a hóstia e o cálice, pronuncia palavras mágicas do mistério sagrado, a catedral, silenciosa sob o tilintar de campainhas e inundada pelo perfume do incenso, dá lugar a um gigantesco espetáculo oferecido aos fiéis: a encarnação da divindade em objetos até então insignificantes. A transubstanciação do pão e do vinho no corpo de Deus é espetáculo, mistério especulativo e exposição do absoluto ao olhar, ao coração e à mente dos fiéis.

Ora, em 1990, no dia 25 de janeiro, dia do aniversário da cidade de São Paulo, foi rezada na Catedral da Sé uma missa solene a que compareceram a prefeita da cidade e o governador do Estado, ambos acompanhados de seus secretários de governo. Os fiéis, no entanto, não puderam presenciar a missa. No espaço entre a nave e o altar, postaram-se câmeras de televisão, holofotes, microfones, fotógrafos,

[4] A palavra "espetáculo" vem dos verbos latinos "*specio*" e "*specto*". *Specio*: ver, observar, olhar, perceber; "*specto*": ver, olhar, examinar, ver com reflexão, provar, ajuizar, acautelar, esperar; "*species*" a forma visível da coisa real, sua essência ou sua verdade. "*Spectabilis*" é o visível; "*speculum*" é o espelho; "*spetaculum*", a festa pública; "*spectator*", o que vê, observa, espectador; "*spectrum*" é aparição irreal, visão ilusória; "*speculare*" é ver com os olhos do espírito. Espetáculo pertence ao campo da visão.

repórteres, técnicos, operadores das máquinas. Além de interceptar a visão dos presentes, os noticiadores do acontecimento tornaram-se oficiantes também, só que de outra cerimônia, e, como oficiantes, interferiram na cerimônia religiosa, falando ao mesmo tempo que os sacerdotes, deslocando máquinas e luzes, narrando aos que ficaram em casa o que se passava na igreja – como se os que assistiam à transmissão não soubessem o que é a missa e precisassem de explicações. No momento do ofertório, houve grande movimentação de câmeras, holofotes, microfones e pessoas no comando do ofício comunicativo, dirigindo-se da nave para o interior do altar para dali focalizar não os sacerdotes, mas as autoridades políticas. No instante da consagração e elevação do cálice e da hóstia, em lugar do silêncio, do incenso e da reverência pelo mistério máximo do cristianismo, ouviam-se cliques de câmeras fotográficas, piscar de luzes dos holofotes, comandos aos *cameramen* e vozes dos apresentadores transmitindo a cerimônia. Para a alma do fiel ali presente, foi um instante de profanação absoluta, e, no entanto, para os que ficaram em casa, apesar de "explicada", a missa provavelmente não tivesse perdido dignidade. Todavia, a missa que ouviram ou viram não foi a missa que aconteceu, mas o fantasma dela, seu simulacro, pois aquela que de fato aconteceu foi profanada. Não só isso. Na missa realmente acontecida, ninguém – nem os fiéis nem os sacerdotes – possuía um olhar que permitisse estar em toda parte ao mesmo tempo, contemplar o altar do alto, do centro, pelos lados, estar ora no lugar do sacerdote, voltado para os fiéis, ora no lugar deles, voltados para os oficiantes. A ubiquidade das câmeras, competindo com a onividência do olhar de Deus, produziu uma missa inexistente, que foi o objeto "transmitido". É esse, cremos, o ponto que merece atenção, isto é, a passagem do espetáculo ao simulacro, a nulificação do real e dos símbolos pelas imagens e pelos sons enviados ao espectador.

Outro exemplo. No livro *Viagem na irrealidade cotidiana*,[5] Umberto Eco distingue a televisão antiga (que chama de "paleotelevisão") da atual (que chama de "neotelevisão"). Na paleotevê, escreve o autor, o evento acontecia independentemente de sua transmissão. Na neotevê, o acontecimento é preparado para ser transmitido. É assim que, no futebol, a velha bola de couro cru é substituída pela bola xadrez

[5] ECO, Umberto. *Viagem na irrealidade cotidiana*. Rio de Janeiro: Nova Fronteira, 1984.

televisiva, e, nos estádios, os anúncios publicitários são colocados em locais estratégicos, que permitem sua contínua transmissão, culminando com sua presença nas camisetas dos jogadores.

Para mostrar a diferença entre as duas formas da televisão, Eco toma as transmissões do casamento de Grace Kelly com o príncipe Rainier, de Mônaco, e o da princesa Diana com o príncipe Charles. Em ambos, houve o momento político-diplomático, a parada militar, a liturgia religiosa e a história de amor. O primeiro, entretanto, ocorreu na época da paleotevê, ou seja, foi organizado sem nenhuma referência ao fato de que seria transmitido, e a televisão precisou "se virar" para transmitir um acontecimento que ocorria por conta própria (ainda que a câmera buscasse privilegiar imagens de opereta, isto é, do romance cor-de-rosa entre o príncipe e a plebeia). No segundo, porém, já se havia passado à neotevê. Agora, diz Eco, "estava absolutamente claro que tudo aquilo que acontecia fora ensaiado para a televisão". A televisão determinou as cores para vestuários e chapéus das famílias dos noivos e convidados, para a decoração da catedral e do palácio: todas tinham um tom pastel, para que se obtivesse um "ar de primavera televisiva". O vestido da noiva não foi feito para ser visto de frente, de lado ou por trás, mas foi concebido para ser visto de cima, onde as câmeras se localizavam. E os cavalos da realeza foram tratados durante uma semana com pílulas especiais, "de tal modo que seu esterco ficasse com uma cor telegênica". Nada ficou ao acaso: Londres inteira foi preparada como um estúdio construído para a TV. Em outras palavras, o espetáculo não se referia ao acontecimento, e sim à encenação do acontecimento, ao seu simulacro.

Transformado em simulacro, o que é o espetáculo? No livro *A sociedade do espetáculo*, Guy Debord escreve:

> O espetáculo apresenta-se ao mesmo tempo como a própria sociedade, como uma parte da sociedade e como instrumento de unificação. Como parte da sociedade, ele é expressamente o setor que concentra todo olhar e toda consciência. Pelo fato desse setor estar separado, ele é o lugar do olhar iludido e da falsa consciência; a unificação que realiza é tão-somente a linguagem oficial da separação generalizada.[6]

[6] DEBORD, Guy. *A sociedade do espetáculo*. Rio de Janeiro: Contraponto, 1997. p. 14.

No caso do Brasil, um exemplo contundente de neotevê é o programa dominical da Rede Globo de Televisão denominado *Fantástico*, que significativamente traz como subtítulo "O show da vida". A programação acompanha de perto os acontecimentos nacionais, mas só em raras ocasiões os menciona diretamente. Em lugar da menção direta, as imagens e os textos oferecem uma interpretação e um comentário indireto. Suponha-se, por exemplo, que o governo federal tenha anunciado um crescimento significativo do emprego formal no País. O programa irá interpretar e comentar o fato, encenando-o sem mencioná-lo uma única vez: se a empresa de televisão apoia o governo, o "show da vida" apresentará um quadro com jovens e idosos que obtiveram empregos e estão muito felizes; se a empresa se opõe ao governo, o quadro exibirá pessoas desempregadas, de várias idades e classes sociais. Embora esses quadros possam ter grande impacto político, graças à encenação da informação e ao ocultamento da intenção persuasiva, o forte do *Fantástico* encontra-se no tratamento dado à ciência e à técnica. Em uma inversão, verdadeiramente fantástica, as descobertas científicas e técnicas são apresentadas como se fossem obra de magia – laboratórios são encenados de maneira a aparecer no vídeo em tons pastéis, fartamente iluminados, repletos de aparelhos incompreensíveis, dando a impressão de um saber que escapa ao comum dos mortais, que se posta diante deles como se fossem as modernas cavernas de magos e bruxas; as falas e os depoimentos de cientistas e técnicos são "editados", isto é, selecionados e cortados, de maneira a enfatizar os aspectos supostamente misteriosos e miraculosos do trabalho científico e técnico. A inversão, porém, não se interrompe nesse ponto, mas prossegue: se não no mesmo programa, certamente no domingo seguinte, astrólogos, leitores de cartas, búzios e mãos são apresentados como cientistas, de sorte que, agora, a magia aparece como ciência. Da astrologia à astronomia e desta àquela não há solução de continuidade, assim como é contínuo o movimento de vaivém entre, por exemplo, a pesquisa biológica e as poções de um curandeiro. A encenação se realiza por meio de uma operação precisa: a ciência simula a magia, e a magia simula a ciência. Sem dúvida, isso é fantástico! O programa, porém, só se completa no momento em que a descoberta científica e o pitoresco, a aplicação técnica e a operação miraculosa são igualmente elevadas ou depreciadas pela figura da autoridade, ou seja, do(a) "âncora", que se coloca como detentor do "verdadeiro saber" porque detém o poder de interpretar, comentar, traduzir e transmitir a suposta informação, manipulando simulacros.

Uma crítica contundente da neotevê ou da encenação foi feita pelo cinema, com o filme *The Truman Show*. O título, como se observa, é um jogo de palavras em inglês com os vocábulos *true*, *man* e *show*. Truman é um nome próprio, um sobrenome; *true* quer dizer verdadeiro (pronuncia-se "tru"); *man*, homem; *show*, espetáculo, e o verbo *to show* quer dizer mostrar. O título diz, portanto: "espetáculo de Truman", isto é, "espetáculo do homem verdadeiro".

De que se trata? De um jovem, Truman, que, ao nascer, foi vendido pela família para um programa de televisão, o *Truman Show*, transmitido ao vivo durante 24 horas para todo o país. Truman não sabe que é uma personagem de televisão e não sabe que a cidadezinha onde nasceu, cresceu e vive, a escola que frequentou, o emprego que possui, as pessoas que conhece e com quem convive não existem realmente, mas são atores. Não sabe que, desde o nascimento, vive em um cenário e que é visto por todo o país todas as horas do dia. Por acaso, descobre a verdade (em inglês, verdade se diz *truth*) e terá que tomar uma decisão essencial: permanecer na ficção como espetáculo (*show*) ou tornar-se homem verdadeiro (em inglês, *true man*) e mostrar (em inglês, *to show*) a verdade, enfrentando-a. Ele se decidirá pela segunda alternativa. O ponto alto do filme, porém, encontra-se na atitude do público de televisão: embora sabedor da farsa, durante anos o público acompanhou o programa como se o espetáculo da vida de Truman fosse realidade; porém, encarou a tomada de decisão real e verdadeira como se fosse ficção. Truman, ou o protagonista, distingue realidade e ficção, verdade e simulacro, mas o público tornou-se irremediavelmente incapaz dessas distinções.

Esse filme tem na mira a crítica de um estilo de programas da televisão norte-americana que foi copiado pela televisão brasileira em duas versões: *Casa dos Artistas* (transmitido pelo Sistema Brasileiro de Televisão – SBT) e *Big Brother* (transmitido pela Rede Globo).

A maioria do público brasileiro talvez não saiba o que é e quem é Big Brother, ou o Grande Irmão (a melhor tradução seria "Irmão mais Velho"). É uma personagem do romance de George Orwell, *1984*, que mencionamos no início deste texto. Escrito em 1948 (data invertida para 1984), o romance se passa em uma sociedade totalitária, na qual todos são permanentemente vigiados por câmeras de televisão, sendo presos e torturados quando infringem alguma regra ou lei e submetidos a violentos processos físicos e psíquicos de condicionamento para não voltar a transgredir. Reinam a solidão, a impossibilidade da comunicação e o medo de comunicar-se. Como forma de compensação, todos os dias e várias vezes por dia, as pessoas "conversam" com uma tela de televisão na qual há um rosto bondoso, o Big Brother, o Grande Irmão (ou o Irmão mais Velho), que os vigia e lhes fala sem, na verdade, dizer-lhes coisa alguma, senão dar-lhes ordens. Esse extraordinário e terrível romance sobre o controle de corpos, corações e mentes dos indivíduos por sistemas cruéis de vigilância em sociedades totalitárias foi banalizado, virando um programa de televisão "engraçado e divertido". Um entretenimento.

Certamente, o ponto culminante da encenação e do simulacro foi alcançado pela rede de notícias CNN com a transmissão, ao vivo e em cores, da Guerra do Golfo, em 1991, transformada em festa de fogos de artifício, sem mortos, sem feridos, sem dor e sem odor. Um entretenimento.

Entretenimento

Hannah Arendt[7] apontou a transmutação da cultura sob os imperativos da comunicação de massa, isto é, a transformação do trabalho cultural, das obras de pensamento e das obras de arte, dos atos cívicos e religiosos e das festas em entretenimento. Evidentemente, escreve ela, os seres humanos necessitam vitalmente do lazer e do entretenimento. Seja, como mostrou Marx, para que a força de trabalho aumente sua produtividade, graças ao descanso, seja, como mostram estudiosos marxistas, para que o controle social e a dominação se perpetuem por meio da alienação, seja, como assinala Arendt, porque o lazer e o entretenimento são exigências vitais do metabolismo humano.

[7] ARENDT, Hannah. A crise na cultura: sua importância social e política. In: *Entre o passado e o futuro*. São Paulo: Perspectiva, 1972.

Ninguém há de ser contrário ao entretenimento, ainda que possa ser crítico das modalidades do entretenimento que entretêm a dominação social e política. Seja qual for nossa concepção do entretenimento, é certo que sua característica principal é não apenas o repouso, mas também o passatempo. É um deixar passar o tempo como tempo livre e desobrigado, como tempo nosso (mesmo quando esse "nosso" é ilusório). O passatempo ou o entretenimento dizem respeito ao tempo biológico e ao ciclo vital de reposição de forças corporais e psíquicas. O entretenimento é uma dimensão da cultura tomada em seu sentido amplo e antropológico, pois é a maneira como uma sociedade inventa seus momentos de distração, diversão, lazer e repouso. No entanto, por isso mesmo, o entretenimento se distingue da cultura quando entendida como trabalho criador e expressivo das obras de pensamento e de arte.

Pelo prisma da criação e expressão das obras de pensamento e das obras de arte, a cultura possui três traços principais que a tornam distante do entretenimento. Em primeiro lugar, é trabalho, ou seja, movimento de criação do sentido, quando a obra de arte e a de pensamento capturam a experiência do mundo dado para interpretá-la, criticá-la, transcendê-la e transformá-la – é a experimentação do novo. Em segundo lugar, é a ação para dar a pensar, dar a ver, dar a refletir, a imaginar e a sentir o que se esconde sob as experiências vividas ou cotidianas, transformando-as em obras que as modificam porque se tornam conhecidas (nas obras de pensamento), densas, novas e profundas (nas obras de arte). Em terceiro, em uma sociedade de classes, de exploração, dominação e exclusão social, a cultura é um direito do cidadão, direito de acesso aos bens e obras culturais, direito de fazer cultura e de participar das decisões sobre a política cultural.

Com a imagem da cultura de massa, os meios de comunicação negam esses traços da cultura. Sob a ação dos *mass media*, as obras de pensamento e de arte correm vários riscos, como: (1) passar de expressivas a reprodutivas e repetitivas; (2) do trabalho da criação a eventos para consumo; (3) da experimentação do novo a consagração do consagrado pela moda e pelo consumo; (4) de duradouras a parte do mercado da moda, passageiro, efêmero, sem passado e sem futuro; (5) de formas de conhecimento que desvendam a realidade e instituem relações com o verdadeiro a dissimulação, ilusão falsificadora, publicidade e propaganda.

Mais do que isso, a chamada "cultura de massa" se apropria das obras culturais para consumi-las, devorá-las, destruí-las, nulificá-las em simulacros. Justamente porque o espetáculo se torna simulacro, e o simulacro se põe como entretenimento, os meios de comunicação de massa transformam tudo em entretenimento (guerras, genocídios, greves, festas, cerimônias religiosas, tragédias, políticas, catástrofes naturais e das cidades, obras de arte, obras de pensamento). Visto que a destruição dos fatos, acontecimentos e obras segue a lógica do consumo, da futilidade, da banalização e do simulacro, não espanta que tudo se reduza, ao fim e ao cabo, a uma questão pessoal de preferência, gosto, predileção, aversão, sentimentos. É isso o mercado cultural.

Destruição da autonomia do pensamento e das artes: indústria cultural

Examinando o projeto moderno, Boaventura de Souza Santos[8] considera que este se assentou sobre dois pilares: o da regulação e o da emancipação. O pilar da regulação, por sua vez, assentou-se sobre três princípios: o Estado (ou a soberania indivisa, que impõe a obrigação política vertical entre os cidadãos), o mercado (que impõe a obrigação política horizontal individualista e antagônica) e a comunidade (ou a obrigação política horizontal solidária entre seus membros). O pilar da emancipação, por seu turno, foi constituído por três lógicas de autonomia racional: a racionalidade expressiva das artes, a racionalidade cognitiva e instrumental da ciência e da técnica, e a racionalidade prática da ética e do direito. O projeto da modernidade julgava possível o desenvolvimento harmonioso da regulação e da emancipação e a racionalização completa da vida individual e coletiva. Todavia, o caráter abstrato dos princípios de cada um dos dois pilares levou cada um deles à tendência a maximizar-se com a exclusão do outro, e a articulação entre o projeto moderno e o

[8] SANTOS, Boaventura de Souza. *Crítica da razão indolente: contra o desperdício da experiência*. São Paulo: Cortez, 2000.

surgimento do capitalismo assegurou a vitória do pilar da regulação contra o da emancipação.

A vitória do pilar da regulação (Estado e mercado) opera no sentido de esmagar o pilar da emancipação e, para isso, destrói a autonomia racional do pensamento, das artes, da ética e do direito.

Fundamentalmente, a autonomia racional do pensamento e das artes se refere ao fim de sua subordinação aos imperativos da religião institucionalizada em igrejas e formulada em teologias. Em outras palavras, quando não estão a serviço de dogmas religiosos nem estão ligadas a rituais religiosos, isto é, quando seu sentido e seu valor deixam de ser definidos por seu lugar na legitimação de dogmas (obras de pensamento) e nos cultos (obras de arte). Nada melhor para expor a questão da autonomia das artes do que um texto, hoje clássico, escrito por Walter Benjamin em 1935, o ensaio *A obra de arte na era de sua reprodutibilidade técnica.*[9]

Nesse ensaio, Benjamin acompanha o movimento histórico e social de passagem das artes do campo religioso ao de sua autonomia, ou ao campo artístico propriamente dito, distinguindo o momento religioso do momento autônomo pela distinção entre seu "valor de culto" e seu "valor de exposição". Para realizar sua análise, Benjamin introduz o conceito de "aura".

A aura é a absoluta singularidade de um ser – natural ou artístico –, sua condição de exemplar único, que se oferece num aqui e agora irrepetíveis, sua qualidade de eternidade e fugacidade simultâneas, seu pertencimento necessário ao contexto no qual se encontra e sua participação em uma tradição que lhe dá sentido. No caso da obra de arte, é sua autenticidade, o vínculo interno entre sua unidade e sua durabilidade. A obra de arte possui aura ou é aurática quando possui as seguintes qualidades: é única, una, irrepetível, duradoura e efêmera, nova e participante de uma tradição, capaz de tornar distante o que está próximo e estranho o que parecia familiar porque transfigura a realidade.

Porque, ao surgir, as artes tinham como finalidade sacralizar e divinizar o mundo – tornando-o distante e transcendente – e, ao mesmo tempo, presentificar os deuses aos homens – tornando o divino próximo

[9] BENJAMIN, W. A obra de arte na época de sua reprodutibilidade técnica. In: LIMA, L. Costa (Org.). *Teoria da cultura de massa.* Rio de Janeiro: Paz e Terra, 1978. p. 211.

e imanente –, essa origem religiosa transmitiu às obras qualidade aurática, que conservaram mesmo quando deixaram de ser parte da religião para se tornar autônomas e belas-artes, ou quando se passou de sua inserção no culto religioso à sua autonomia no culto do belo.

Se o culto do belo, ao substituir o culto dos deuses, conservou o caráter aurático da obra de arte, é preciso, então, explicar como a aura foi perdida ou destruída. Seu declínio deriva da "difusão e intensidade crescente dos movimentos das massas modernas", que desejam apaixonadamente que as coisas fiquem "mais próximas" e por isso aspiram a "superar o caráter único de todos os fatos por meio de sua reprodutibilidade".

Evidentemente, diz Benjamin, a arte sempre foi reprodutível, bastando ver discípulos imitando mestres. A questão, portanto, não está no fato da reprodução, e sim na nova modalidade de reproduzir: a reprodução técnica, que permite a existência do objeto artístico em série e que, em certos casos, como na fotografia, no disco[10] e no cinema, torna impossível distinguir original e cópia, isto é, desfaz as próprias ideias de original e cópia. Com a fotografia, o valor expositivo suplanta o valor de culto, embora algo deste ainda tenha permanecido, quando se leva em conta, por exemplo, o papel central do retrato ou do rosto nos primórdios da reprodução fotográfica. Todavia, a partir do momento em que a figura humana se torna ausente, prevalece por inteiro o valor de exposição. Mas não só isso. Benjamin julga que as polêmicas do século XIX em torno da fotografia e do cinema como arte fundavam-se em uma confusão, ou melhor, em uma concepção anacrônica da arte, pois desconsideravam que a mudança técnica trazia consigo também a mudança do conceito de "arte".

> Se o jornal ilustrado estava contido virtualmente na litografia, o cinema falado estava virtualmente contido na fotografia. A reprodução técnica do som iniciou-se no fim do século passado. Com ela, a reprodução técnica atingiu tal padrão de qualidade que ela não somente podia transformar em seus objetos a totalidade das obras de arte tradicionais, submetendo-as a transformações profundas,

[10] Hoje diríamos "CD". E teríamos que acrescentar a televisão e os instrumentos eletrônicos.

como conquistar para si um lugar próprio entre os procedimentos artísticos.

A destruição da aura está prefigurada como possibilidade inscrita na própria essência da obra de arte porque, além do valor de culto, ela possui também o valor de exposição, e este último suscita a reprodutibilidade quando as condições sócio-históricas a exigirem e a possibilitarem.

> À medida que as obras de arte se emancipam do seu uso ritual, aumentam as ocasiões para que sejam expostas. A exponibilidade de um busto, que pode ser deslocado de um lugar para outro, é maior do que a de uma estátua divina, que tem sua sede fixa no interior de um templo. A exponibilidade de um quadro é maior do que a de um mosaico ou de um afresco, que o precederam. E se a exponibilidade de uma missa, por sua própria natureza, não era talvez menor do que a de uma sinfonia, esta surgiu em um momento em que sua exponibilidade prometia ser maior do que a da missa.[11]

Walter Benjamin assumia uma posição otimista, pois imaginava que a reprodução das obras de arte (pelo livro, pelas artes gráficas, pela fotografia, pelo rádio, pelo fonógrafo e pelo cinema) permitiria à maioria das pessoas o acesso a criações que, até então, uns poucos podiam conhecer e fruir. Em outras palavras, esperava que houvesse não só a democratização da cultura e das artes, mas sobretudo que estas pudessem colocar-se na perspectiva da revolução comunista e da crítica revolucionária.

Esse otimismo não era infundado. De fato, quando levamos em consideração os efeitos sociais e políticos do primeiro grande meio de comunicação de massa, isto é, a invenção da imprensa por Gutenberg, podemos verificar sua importância para a democratização da cultura. O primeiro livro impresso foi a Bíblia, cujos manuscritos em hebraico, aramaico, grego e latim só eram lidos por especialistas (rabinos, sacerdotes, teólogos), enquanto o restante da sociedade a ouvia em línguas que ninguém compreendia. Ao iniciar o movimento da

[11] BENJAMIN. *Op. cit.*, p. 211.

Reforma Protestante, no final do século XV, Lutero traduziu a Bíblia para o alemão, e foi essa tradução que Gutenberg imprimiu. Pela primeira vez, o texto sagrado dos cristãos podia ser lido por todos os que conheciam o alemão. Da mesma maneira, com Calvino, surgem a tradução francesa e sua impressão, e, com a Reforma inglesa, a tradução para o inglês e sua impressão nessa língua. Para difundir a religião reformada, os protestantes realizaram a alfabetização dos fiéis para que todos pudessem ler as Sagradas Escrituras. Como escreveu um historiador inglês, a Bíblia foi democratizada. Essa leitura fez com que camponeses, na Alemanha, assim como trabalhadores do campo e das cidades, na Inglaterra e na Holanda, se dessem conta do abismo que separava os ensinamentos bíblicos e as práticas dos governantes, dos Grandes e da Igreja romana. Deram-se conta da crueldade, da injustiça e da tirania. E se rebelaram em toda parte, exigindo justiça e liberdade.

No entanto, o otimismo de Walter Benjamin não era cego. Comentando o significado social e político do cinema, escreve:

> Enquanto o capitalismo continuar conduzindo o jogo, o único serviço que se pode esperar do cinema em favor da Revolução é o fato de permitir a crítica revolucionária das antigas concepções da arte. Ao dizer isso não negamos que ela possa ir ainda mais longe e favorecer a crítica revolucionária das relações sociais, inclusive do próprio estatuto da propriedade [...] As técnicas de reprodução aplicadas à obra de arte modificam a atitude da massa diante da arte. Muito reacionária diante, por exemplo, de um Picasso, a massa mostra-se progressista diante, por exemplo, de um Chaplin. A característica de um comportamento progressista reside no fato de o prazer do espetáculo e a experiência vivida correspondente ligarem-se, de modo direto e íntimo, à atitude do conhecedor. Essa ligação tem uma importância social. À medida que diminui a significação social de uma arte, assiste-se no público a um divórcio crescente entre o espírito crítico e a fruição da obra.[12]

Enquanto "o capitalismo continuar conduzindo o jogo", o nazifascismo é uma possibilidade, como mostrou a experiência histórica. Representado sobretudo pelo movimento futurista nas artes, o nazifascismo

[12] *Ibidem*, p. 230.

propôs uma cultura de massa fundada na ideia da política como obra de arte, envidando esforços para estetizar a política e empregar técnicas de comunicação para mobilizar as massas sem tocar no regime da propriedade. Ora, quando o uso das formas produtivas é paralisado pelo regime da propriedade, o prodigioso crescimento do conhecimento científico e dos meios tecnológicos não se dirige à abundância e à emancipação das massas, mas conserva o desemprego e a ausência de mercados. Como dar vazão ao gigantesco potencial técnico contido no modo de produção? Por meio da guerra. Esta se torna, assim, o grande elemento mobilizador das massas. Estetizar a política significa glorificar a guerra ou, como proclama o Manifesto Futurista, declarar que "a guerra é bela". Conclui Benjamin: "a tarefa do comunismo é politizar a arte" em vez de estetizar a política.

Em outras palavras, Benjamin permanece atento aos efeitos do jogo capitalista.

De fato, a partir da segunda Revolução Industrial, no século XIX, as artes foram submetidas a uma nova servidão: às regras do mercado capitalista. Surge a indústria cultural, expressão cunhada por Theodor Adorno e Max Horkheimer para definir a transformação das obras de arte em mercadoria e a prática do consumo de "produtos culturais" fabricados em série. Perdida a aura, a arte não se democratizou, massificou-se e transformou-se em distração e diversão para as horas de lazer.

Como escrevem Adorno e Horkheimer, a obra de arte atualmente não transcende o mundo dado, é "arte sem sonho", é sono em que adormecem a criatividade, a consciência, a sensibilidade, a imaginação, o pensamento e a crítica tanto do artista como do público. Os produtos da indústria cultural buscam meios para ser alegremente consumidos em estado de distração. Todavia, cada um desses meios "é um modelo do gigantesco mecanismo econômico que, desde o início, mantém tudo sob pressão tanto no trabalho quanto no lazer que lhe é semelhante".[13] Em outras palavras, além do controle sobre o trabalho, a classe dominante passou a controlar também o descanso, pois ambos são mercadorias – "o *amusement* é o prolongamento do trabalho sob o capitalismo avançado. É procurado por aqueles que querem subtrair-se

[13] HORKHEIMER, Max; ADORNO, Theodor. Indústria cultural. In: LIMA, L. Costa (Org.). *Teoria da cultura de massa*. Rio de Janeiro: Paz e Terra, 1978, p. 165.

aos processos de trabalho mecanizados, para que estejam de novo em condições de afrontá-lo".[14]

Qual o efeito do entretenimento como descanso? A hostilidade diante de tudo que possa ser mais do que simples divertimento, que peça atividade em vez de passividade. Dessa maneira, sob o poderio do capital, as obras de arte críticas e radicais foram esvaziadas para se tornar entretenimento; e outras passaram a ser produzidas para celebrar o existente, em lugar de compreendê-lo, criticá-lo e propor outro futuro para a humanidade. A força de conhecimento, crítica e invenção das artes ficou reduzida a algumas produções da arte erudita – a arte de vanguarda – e da chamada "arte de protesto", enquanto todo o restante foi destinado a um consumo rápido, transformando-se em sinal de status social e prestígio para artistas e consumidores e em forma de controle social pelos proprietários privados dos meios de comunicação de massa.

Como opera a indústria cultural?

Em primeiro lugar, separa os bens culturais por seu suposto valor de mercado: há obras "caras" e "raras", destinadas aos privilegiados que podem pagar por elas, formando uma elite cultural; e há obras "baratas" e "comuns", destinadas à massa. Assim, em vez de garantir o mesmo direito de todos à totalidade da produção cultural, a indústria cultural introduz a divisão social entre elite "culta" e massa "inculta".

Em segundo, cria a ilusão de que todos têm acesso aos mesmos bens culturais, cada um escolhendo livremente o que deseja, como o consumidor em um supermercado. No entanto, basta dar atenção aos horários dos programas de rádio e televisão ou ao que é vendido em bancas de jornais e revistas para vermos que as empresas de divulgação cultural já selecionaram de antemão o que cada grupo social pode e deve ouvir, ver ou ler. No caso dos jornais e revistas, por exemplo, a qualidade do papel, a qualidade gráfica de letras e imagens, o tipo de manchete e de matéria publicada definem o consumidor e determinam o conteúdo daquilo a que terá acesso e o tipo de informação que poderá receber. Se compararmos, em uma manhã, cinco ou seis jornais, perceberemos que o mesmo mundo – este no qual todos vivemos

[14] *Ibidem*, p. 174.

– transforma-se em cinco ou seis mundos diferentes ou mesmo opostos, pois um mesmo acontecimento recebe cinco ou seis tratamentos diversos, em função do leitor que a empresa jornalística tem interesse (econômico e político) de atingir.

Em terceiro lugar, inventa figuras chamadas "espectador médio", "ouvinte médio" e "leitor médio", aos quais são atribuídas certas capacidades mentais "médias", certos conhecimentos "médios" e certos gostos "médios", oferecendo-lhes produtos culturais "médios". Que significa isso? A indústria cultural vende cultura. Para vendê-la, deve seduzir e agradar o consumidor. Para seduzi-lo e agradá-lo, não pode chocá-lo, provocá-lo, fazê-lo pensar, trazer-lhe informações novas que o perturbem, mas deve devolver-lhe, com nova aparência, o que ele já sabe, já viu, já fez. A "média" é o senso comum cristalizado, que a indústria cultural devolve com cara de coisa nova.

Em quarto lugar, define a cultura como lazer e entretenimento, diversão e distração, de modo que tudo o que nas obras de arte e de pensamento significa trabalho criador e expressivo da sensibilidade, da imaginação, da inteligência, da reflexão e da crítica não tem interesse, não "vende". Massificar é, assim, banalizar a expressão artística e intelectual. Em lugar de difundir e divulgar a cultura, despertando interesse por ela, a indústria cultural realiza a vulgarização das artes e dos conhecimentos.

Adorno e Horkheimer assinalam que a "atrofia da imaginação e da espontaneidade do consumidor cultural" não deve ser explicada em termos psicológicos, pois "os próprios produtos paralisam aquelas faculdades". São feitos de modo que a sua apreensão adequada exige rapidez de percepção, capacidade de observação e competência específica, porém impedem, efetivamente, a atividade mental do espectador, se ele não quiser perder os fatos que se desenrolam rapidamente à sua frente.

A condição pós-moderna

Para avaliarmos o significado contemporâneo da indústria cultural e dos meios de comunicação de massa que a produzem, convém lembrar, brevemente, o que se convencionou chamar de "a condição pós-moderna", isto é, a existência social e cultural sob a economia neoliberal.

Que acontece quando o capitalismo passa à forma neoliberal?

Examinando a nova forma capitalista, David Harvey[15] aponta a diferença entre as fases industrial e pós-industrial do capitalismo e sublinha o fato de que, na fase industrial, com o modelo fordista, o capital induzira o aparecimento das grandes fábricas (nas quais se tornavam visíveis as divisões sociais, a organização das classes e a luta de classes) e ancorara-se na prática de controle de todas as etapas da produção (da extração da matéria-prima à distribuição do produto no mercado de consumo), bem como nas ideias de qualidade e durabilidade dos produtos (levando, por exemplo, à formação de grandes estoques para a travessia dos anos). Em contrapartida, na fase dita pós-industrial, imperam: (1) a fragmentação e a dispersão da produção econômica (incidindo diretamente sobre a classe trabalhadora, que perde seus referenciais de identidade, de organização e de luta); (2) a hegemonia do capital financeiro; (3) a rotatividade extrema da mão de obra; (4) os produtos descartáveis (com o fim das ideias de durabilidade, qualidade e estocagem); (5) a obsolescência vertiginosa das qualificações para o trabalho em decorrência do surgimento incessante de novas tecnologias; e (6) o desemprego estrutural, decorrente da automação e da alta rotatividade da mão de obra, causando exclusão social, econômica e política. A desigualdade econômica e social atinge níveis jamais vistos e não só mantém a distância entre países centrais ricos e países periféricos pobres, como ainda, em todos eles, divide a sociedade entre bolsões de riqueza e bolsões de miséria.

O Estado, por seu turno, distancia-se do modelo do bem-estar social, no qual, como explica Francisco de Oliveira,[16] o poder público regulamentava e fiscalizava a economia, e os fundos públicos eram dirigidos não somente para o financiamento do capital, mas também para o da reprodução da força de trabalho, por meio dos direitos sociais ou do salário indireto (férias, aposentadoria, educação e saúde gratuitas, salário família, etc.). O esgotamento desse modelo político decorre de duas causas principais: de um lado, o endividamento do Estado ou

[15] HARVEY, David. *A condição pós-moderna*. São Paulo: Loyola, 1992.

[16] OLIVEIRA, Francisco de. O surgimento do antivalor. Capital, força de trabalho e fundo público. In: *Os direitos do antivalor: a economia política da hegemonia imperfeita*. Petrópolis: Vozes, 1998. (Coleção Zero à Esquerda).

o déficit fiscal; de outro, a pressão dos grupos capitalistas dirigentes, por meio de seus teóricos, contra a regulação estatal da economia e sobretudo contra o financiamento dos direitos sociais dos trabalhadores, exigindo que a totalidade dos fundos públicos seja dirigida ao capital. Implementa-se o Estado neoliberal e com ele o encolhimento do espaço público e o alargamento do espaço privado, isto é, o mercado.

A dimensão econômica e social da nova forma do capital é inseparável de uma transformação sem precedentes na experiência do espaço e do tempo, designada por David Harvey como a "compressão espaçotemporal". A fragmentação e a globalização da produção econômica engendram dois fenômenos contrários e simultâneos: de um lado, a fragmentação e a dispersão espacial e temporal; de outro, sob os efeitos das tecnologias eletrônicas e de informação, a compressão do espaço – tudo se passa *aqui*, sem distâncias, diferenças nem fronteiras – e a compressão do tempo – tudo se passa *agora*, sem passado e sem futuro. Em outras palavras, a fragmentação e a dispersão do espaço e do tempo condicionam sua reunificação sob um espaço indiferenciado (um espaço plano de imagens fugazes) e um tempo efêmero desprovido de profundidade.

Paul Virilio[17] fala de acronia[18] e atopia,[19] ou da desaparição das unidades sensíveis do tempo e do espaço vividos sob os efeitos da revolução eletrônica e informática. A profundidade do tempo e seu poder diferenciador desaparecem sob o poder do instantâneo. Por seu turno, a profundidade de campo, que define o espaço da percepção, desaparece sob o poder de uma localidade sem lugar e das tecnologias de sobrevoo. Vivemos sob o signo da telepresença e da teleobservação, que impossibilitam diferenciar entre a aparência e o sentido, o virtual e o real, pois tudo nos é imediatamente dado sob a forma da transparência temporal e espacial das aparências, apresentadas como evidências.

[17] VIRILIO, Paul. *O espaço crítico*. Rio de Janeiro: Editora 34, 1993.

[18] Em grego, "*krónos*" significa tempo, donde cronologia, cronômetro, etc.; "*acronia*" significa sem tempo, ausência do tempo.

[19] Em grego, "*tópos*" significa lugar, o espaço diferenciado por lugares e por qualidades como próximo, distante, alto, baixo, pequeno, grande, etc., donde topologia, topografia; "*atopia*" significa sem lugar, ausência de um espaço diferenciado. De "*tópos*" vem "*utopia*", que, segundo alguns, significa lugar nenhum, e, segundo outros, lugar perfeito ainda inexistente.

Volátil e efêmera, hoje nossa experiência desconhece qualquer sentido de continuidade e se esgota em um presente sentido como instante fugaz. Ao perdermos a diferenciação temporal, não só rumamos para o que Virilio chama de "memória imediata", ou ausência da profundidade do passado, mas também perdemos a profundidade do futuro como possibilidade inscrita na ação humana enquanto poder para determinar o indeterminado e para ultrapassar situações dadas, compreendendo e transformando o sentido delas.

Vale a pena citar aqui um trecho longo, mas significativo, escrito por Maurice Blanchot em *A conversa infinita*:

> Queremos estar a par de tudo o que se passa no exato momento em que se passa. Queremos saber o que se passa e onde se passa. Nos vídeos, em nossos ouvidos não somente se inscrevem, sem atraso, as imagens dos acontecimentos e as palavras que as transmitem, mas, no final das contas, não há outro acontecimento senão esse movimento de transmissão universal: reino de uma enorme tautologia.[20]

Que se passa com os meios?

> Os meios de comunicação – linguagem, cultura, potência imaginativa –, à força de serem tidos por simples meios, perdem sua força mediadora. Acreditamos conhecer as coisas imediatamente, sem imagens e sem palavras, e na realidade só nos resta uma prolixidade repetitiva, que nada diz e nada mostra. Quantas pessoas ligam o rádio e deixam o cômodo onde ele está, satisfeitas com esse ruído longínquo? Absurdo? De jeito nenhum. O essencial não é que um certo homem se exprima e um outro o escute, mas sim que, ninguém em particular falando e ninguém em particular ouvindo, haja entretanto palavra e como uma promessa indefinida de comunicar, garantia do vaivém incessante das palavras solitárias.[21]

O cotidiano, escreve Blanchot, já não pode ser alcançado, pois não é mais aquilo que se vive, mas aquilo que se olha, que se mostra, simulacro e descrição sem nenhuma relação ativa. O mundo inteiro nos é oferecido sob a forma do olhar. E nada nos pode inquietar. De fato,

[20] BLANCHOT, Maurice. *L'entrétien infini*. Paris: Gallimard, 1978. p. 358.

[21] *Ibidem*.

> Não temos que nos inquietar com os acontecimentos, desde que pousemos o olhar desinteressado sobre sua imagem, a seguir, um olhar simplesmente curioso, e por fim, um olhar vazio, mas fascinado. Para que tomar parte numa manifestação de rua, se no mesmo momento, no repouso e na segurança, graças a um aparelho de televisão assistimos à manifestação ali onde, produzida e reproduzida, oferece-se à nossa vista em seu conjunto, deixando-nos acreditar que ela só existe para nós, suas testemunhas superiores?[22]

O efeito é evidente: a despolitização.

> A prática é substituída pelo pseudoconhecimento, pelo olhar irresponsável, por uma contemplação superficial, despreocupada e satisfeita. O mundo vira espetáculo do espetáculo da comunicação. O homem, bem protegido entre as quatro paredes de sua casa e de sua existência familiar, deixa que o mundo venha a ele, sem perigo, certo de que não vai mudar porque vê e ouve. A despolitização está ligada a este movimento. E o homem de governo, que sempre temeu e teme a rua, alegra-se por ser apenas um empreendedor de espetáculos, hábil em adormecer em nós o cidadão a fim de manter acordado na semiobscuridade e na semissonolência o infatigável olhador de imagens.[23]

Os meios de comunicação

A expressão "comunicação de massa" foi criada para se referir a objetos tecnológicos capazes de transmitir a mesma informação para um vasto público ou para a massa. Inicialmente referia-se ao rádio e ao cinema, pois a imprensa pressupunha pessoas alfabetizadas, o que não era requerido pelo rádio nem pelo cinema em seus começos. Pouco a pouco, estendeu-se para a imprensa, a publicidade ou propaganda, a fotografia e a televisão. Esses objetos tecnológicos são os meios por intermédio dos quais a informação é transmitida ou comunicada.[24]

[22] *Ibidem.*

[23] *Ibidem*, p. 359.

[24] Em latim, "meio" se diz *medium*, e, no plural, "meios" se diz *media*. Os primeiros teóricos dos meios de comunicação empregaram a palavra latina *media*. Como eram teóricos de língua inglesa, diziam: *mass media*, isto é, os "meios de massa". A

Em seu famoso estudo sobre os novos meios de massa – celebrizado com a afirmação "o meio é a mensagem" –, Marshall McLuhan[25] comparou as diferenças pedagógicas entre o ensino baseado no livro impresso e o ensino contemporâneo, que emprega recursos audiovisuais. Na Antiguidade e na Idade Média, ressalta ele, os alunos aprendiam ouvindo o professor e repetindo o que ele dizia, o ensino era fundamentalmente oral e exigia grande trabalho da memória, havendo mesmo técnicas especiais para aprender a memorizar. Ademais, nos cursos mais avançados, além das aulas, os estudantes copiavam ou produziam para seu uso pessoal manuscritos de gramática, dicionários, ensinamentos básicos de aritmética e geometria. O ensino e o aprendizado, por serem orais, eram coletivos, pois todos os estudantes dependiam da aula ministrada pelo professor e memorizavam o ensinamento por meio de discussões e disputas com os colegas. Essa situação mudou com a chegada do livro impresso, pois não só os estudantes passaram a ter acesso aos mesmos materiais que os professores, mas também as aulas passaram a apoiar-se nos escritos, exigindo menos da memória de professores e alunos. Além disso, surgiu o estudo solitário e individual como algo mais importante do que a discussão e a disputa coletivas.

Ora, prossegue McLuhan, estamos vendo o final da "galáxia Gutenberg" (ou seja, do livro impresso), com a chegada do rádio, do disco, da televisão e do computador às escolas. De fato, os novos meios de comunicação são visuais e sonoros, usam muito pouco a escrita (com exceção do jornalismo impresso) e estimulam a oralidade. As escolas, como as da Antiguidade e da Idade Média, adotam cada vez mais os recursos audiovisuais para o ensino e o aprendizado e reintroduzem os trabalhos de grupo e as discussões coletivas.

Benjamin falava em "reprodutibilidade" da obra de arte; McLuhan fala em "mecanização" da expressão humana. Escreve ele, em um ensaio intitulado "Visão, som e fúria":

pronúncia, em inglês, do latim *media* é "mídia". Quando os teóricos de língua inglesa dizem "*the media*", estão dizendo "os meios". Por apropriação da terminologia desses teóricos no Brasil, a palavra "mídia" passou a ser empregada como se fosse uma palavra feminina no singular, "a mídia".

[25] MCLUHAN, Marshall. *A galáxia de Gutenberg*. São Paulo: Nacional, 1977.

> Antes da imprensa, um leitor era alguém que discernia e sondava enigmas. Após a imprensa, passou a significar alguém que corria os olhos, que escapulia ao longo das superfícies do texto impresso. Hoje em dia, no final de tal processo, chegamos a aliar a habilidade de ler velozmente com a distração, em vez de com a sabedoria. Mas à imprensa, à mecanização da escrita, sucederam no século XIX a fotografia e em seguida a mecanização dos gestos humanos no filme. A isso se seguiu a mecanização da fala no telefone, no fonógrafo e no rádio. Com o cinema falado e, finalmente, com a televisão, sobreveio a mecanização da totalidade da expressão humana, da voz, do gesto e da figura humana em ação. Cada um desses estágios da mecanização da expressão humana comparou-se, em seu âmbito, à revolução deflagrada pela própria mecanização da escrita.[26]

O que os meios (ou "a mídia") veiculam? O que transmitem? Sob a forma de romances, novelas, contos, notícias, músicas, debates, danças, jogos, espetáculos, transmitem informações. Entusiasmado com os meios de comunicação como veículos de informação, McLuhan escreve no mesmo ensaio:

> Esta é a época de transição da era comercial, quando a produção e distribuição de utilidades absorvia o engenho dos homens. Passamos hoje da produção de mercadorias empacotadas para o empacotamento da informação. Anteriormente, invadíamos [os Estados Unidos] os mercados estrangeiros com utilidades. Hoje, invadimos culturas inteiras com informação enlatada, diversão e ideias.[27]

a) Propaganda

A palavra "propaganda" deriva do verbo "propagar", que significa: multiplicar uma espécie por meio da reprodução, espalhar-se por um território, aumentar numericamente por contágio, irradiar-se, difundir-se e, por extensão, divulgar. A propaganda é uma difusão e uma divulgação de ideias, valores, opiniões, informações para o maior

[26] MCLUHAN, Marshall. Visão, som e fúria. In: LIMA, L. Costa (Org.). *Op. cit.*, p. 145.

[27] *Ibidem*, p. 147.

número de pessoas no mais amplo território possível. É com esse sentido que falamos em propaganda religiosa e em propaganda política. Ambas, porque se dirigem publicamente ao maior número possível de pessoas, são formas de publicidade.

Empregando as artes gráficas, a fotografia, a música, a dança e a poesia, difundindo-se por meio de jornais, revistas, cartazes, rádio e televisão, a propaganda comercial ou publicidade comercial é a difusão e divulgação de produtos destinados à venda e dirigidos a consumidores. Essa propaganda opera por meio de: (1) explicações simplificadas e elogios exagerados sobre os produtos; (2) *slogans* curtos que possam ser facilmente memorizados; (3) aparente informação e prestação de serviço ao consumidor; (4) garantia de que o consumidor será, ao mesmo tempo, igual a todo mundo, e não um deslocado (pois consumirá o que outros consomem), e será diferente de todo mundo (pois o produto lhe dará uma individualidade especial).

Para ser eficaz, a propaganda deve realizar duas operações simultâneas: por um lado, deve afirmar que o produto possui os valores estabelecidos pela sociedade em que se encontra o consumidor (por exemplo, se a vida em família é muito valorizada, os produtos devem aparecer a serviço da mãe, do pai, dos filhos, da higiene e da beleza do lar, da saúde das crianças, da felicidade conjugal, etc.), e, por outro, precisa despertar desejos que o consumidor não possuía e que o produto não só desperta como, sobretudo, satisfaz (donde o *slogan* "sua satisfação garantida ou seu dinheiro de volta").

Em seus começos, desde fins do século XIX até os meados do século XX, a propaganda comercial sublinhava e elogiava as qualidades do produto: apresentava, por exemplo, os efeitos curativos dos remédios, os efeitos higiênicos do sabão, do sabonete e da pasta de dentes, o conforto de uma mobília, o bom gosto de uma peça de roupa da moda. Podia também apresentar essas qualidades oferecendo a palavra de algum especialista, que participara da fabricação do produto ou que o usara e o recomendava (falavam médicos, dentistas, farmacêuticos, donas de casa, modistas, etc.). Como na era da sociedade industrial os produtos eram valorizados por sua durabilidade, a propaganda tendia a inventar uma imagem duradoura que se tornava uma espécie de marca para o reconhecimento imediato do produto e facilmente repetida por todos. Essa "marca" podia ser um desenho, um *slogan*, uma pequena melodia, uma rima, assegurando o rápido reconhecimento do produto por muitos e muitos anos. Uma das propagandas mais conhecidas no mundo inteiro e de longa duração foi usada, desde os anos 1930, por uma indústria de aparelhos de rádio e fonógrafos, a RCA Victor, cuja "marca" era um cão com o ouvido próximo do ampliador de som e sob o qual havia os dizeres: "a voz do dono", para sugerir fidelidade do som e fidelidade do consumidor ao produto. No Brasil, nos anos 1940, por exemplo, havia melodias e *slogans* para um analgésico – "Melhoral é melhor e não faz mal"–, para um perfume popular –"Cashmere Bouquet, a fragrância de rosas para você" –, para um fixador de cabelos – "Lex dura lex, no cabelo só Gumex" –, para uma brilhantina – "Glostora, a brilhantina que o homem adora". Nos anos 1950, havia um desenho característico (a rosa dos ventos, com os pontos cardeais e subcardeais, usada pelos navegantes para orientação em viagens), acompanhada de uma frase melódica própria com que o consumidor imediatamente identificava uma companhia aérea, a Varig. A propaganda também buscava afirmar e garantir o produto trazendo o nome do fabricante como prova da qualidade (guaraná da Antártica, cerveja da Brahma, tecido de algodão da América Fabril ou da Bangu, Biotônico do Laboratório Fontoura) ou como garantia da exclusividade ("Chicletes, a delícia que só Adams fabrica").

Com o aumento da competição entre produtores e distribuidores, com o crescimento do mercado da moda, com o advento da sociedade pós-industrial, cujos produtos são descartáveis e sem durabilidade (a sociedade pós-industrial é a "sociedade do descarte") e de consumo imediato (alimentos e refeições instantâneos), e sobretudo à medida que pesquisas de mercado indicavam que as vendas dependiam da capacidade de manipular desejos do consumidor e até mesmo de criar desejos nele, a propaganda comercial foi deixando de apresentar o produto propriamente dito (com suas propriedades, qualidades, durabilidade) para afirmar os desejos que ele realizaria: sucesso, prosperidade, segurança, juventude eterna, beleza, atração sexual, felicidade. Em outras palavras, a propaganda ou publicidade comercial passou a vender imagens e signos, e não as próprias mercadorias, substituídas por simulacros.

Assim, por exemplo, para vender certo cigarro, em vez de apresentá-lo diretamente, em seu lugar aparecem motocicletas, veleiros, corridas de automóveis e o *slogan* "o sucesso", ou seja, vende-se a imagem do sucesso para a qual o cigarro se torna instrumento indispensável. Outra marca de cigarro passa a competir com a anterior e, em lugar do próprio cigarro, apresenta-se um prédio em construção com engenheiros e arquitetos de sucesso fumando, e o *slogan* "a marca inteligente". Com isso, vende-se o cigarro apelando-se para a imagem dos que são inteligentes e por isso o escolhem. Assim também, em lugar da manteiga e da margarina com suas propriedades e qualidades, aparece a família feliz tomando o café da manhã e consumindo o produto, isto é, vende-se a imagem da felicidade e da harmonia domésticas para as quais a margarina é a condição indispensável. Assim também, em lugar do sabonete e do desodorante, surge a imagem da sensualidade da mulher ou do homem que os usam. O automóvel é apresentado como prova de sucesso, charme e inteligência do consumidor, sobretudo quando são enfatizadas as inovações tecnológicas do veículo, cujo consumo pressupõe a imagem de uma pessoa moderna e atualizada. E assim por diante.

A propaganda comercial também se apropria de atitudes, opiniões e posições críticas ou radicais existentes na sociedade, esvazia e banaliza seu conteúdo social ou político e as investe em um produto, transformando-as em moda consumível e passageira. Feminismo, guerrilha revolucionária, movimentos culturais de periferia, liberação sexual, direitos humanos, etc., arrancados do contexto que lhes dá sentido, são transformados em simulacros que vendem produtos.

Mas não só isso. A publicidade não se contenta em construir imagens com as quais o consumidor é induzido a identificar-se. Ela as apresenta como realização de desejos que o consumidor sequer sabia ter e que agora, seduzido pelos simulacros, passa a ter – uma roupa ou um perfume são associados a viagens a países distantes e exóticos ou a uma relação sexual fantástica; um utensílio doméstico ou um sabão em pó são apresentados como a suprema defesa do feminismo, liberando a mulher das penas caseiras; um alimento para crianças é apresentado como garantia de saúde e alegria infantis, despertando na criança o desejo de consumi-lo e levando a mãe ou o pai a adquiri-lo porque esperam adquirir tranquilidade e certeza de bem alimentar os filhos.

Visto, porém, que na sociedade contemporânea tudo é veloz, fugaz e efêmero, desaparecendo da noite para o dia, a propaganda precisa acompanhar esse ritmo. Com isso, ela desenvolve a ideia de que sua eficácia e sua competitividade serão maiores não simplesmente por agir sobre os desejos já existentes, e sim por sua capacidade para inventar desejos novos e manipulá-los para o consumo de produtos sempre novos e fugazes. Por que essa invenção de desejos é eficaz?

Analisando a sociedade burguesa nos começos do capitalismo, no clássico *A ética protestante e o espírito do capitalismo*, Max Weber assinalou a "afinidade eletiva" entre a forma da economia capitalista e a moral puritana ou calvinista, fundada no elogio do trabalho como virtude e dever e na condenação do ócio e da preguiça como os piores vícios. Aquele que faz seu trabalho render dinheiro e, em lugar de gastá-lo, o investe em mais trabalho para gerar mais dinheiro e mais lucro, vivendo frugal e honestamente (isto é, pagando em dia suas dívidas para assim obter mais crédito), é um homem virtuoso. Trabalhar é ganhar para poupar e investir para que se possa trabalhar mais e investir mais. Como consequência, desejos, fruição, gozo e satisfação são reprimidos, a fim de assegurar a ordem social.

Weber identifica a ética burguesa do trabalho e a figura do trabalhador no capitalismo. Na verdade, porém, o homem honesto, que trabalha, poupa e investe, é a autoimagem do burguês, e não a figura dos que trabalham para que ele poupe e invista. A ética burguesa é a ideologia burguesa e, como tal, generalizou-se para toda a sociedade, tornando-se ética interiorizada pelos trabalhadores. Essa ética burguesa perdura até o final da forma industrial do capitalismo, perdendo força à medida que o capital necessita do consumo de massa e, sobretudo, quando o capitalismo passa à forma pós-industrial, isto é, quando, em decorrência do salto tecnológico, a acumulação do capital deixa de exigir a inclusão no mercado de trabalho e o desemprego se torna estrutural. Doravante, uma nova ética (ou uma nova ideologia) passa a valorizar a satisfação imediata dos desejos, o gozo e a fruição, que se tornam imperativos morais. É esse o núcleo ideológico que garante eficácia à propaganda.

Além de vender simulacros, dissimulando a venda de mercadorias, a propaganda é impulsionada pelo mercado a ampliar a dissimulação vendendo a imagem de empresas que nada têm a ver com o produto a ser consumido. É assim que bancos, financeiras, empresas de construção civil, empresas de exploração de minérios e petróleo, e muitas outras, passam a ter suas imagens associadas a programas de rádio e televisão, às artes e às ciências, pois patrocinam tais atividades. É assim, por exemplo, que uma empresa de cosméticos pode, em lugar de patrocinar um programa feminino, patrocinar concertos de música clássica; uma revendedora de motocicletas, em lugar de patrocinar um programa para adolescentes, patrocina um programa sobre ecologia. A esse respeito, em *A condição pós-moderna*, David Harvey escreve:

> A competição no mercado de construção de imagens passa a ser um aspecto vital da concorrência entre as empresas. O sucesso é tão claramente lucrativo que o investimento na construção da imagem (patrocínio das artes, exposições de artes, produções televisivas, etc.) se torna tão importante quanto o investimento em novas fábricas e maquinário. A imagem serve para estabelecer uma identidade no mercado, o que se aplica também ao mercado de trabalho. A aquisição de uma imagem (por meio da compra de um sistema de signos como roupas de *griffe* e o carro da moda) se torna um elemento singularmente importante na autoapresentação nos mercados de trabalho e, por extensão, passa a ser parte integrante da busca de identidade individual, autorrealização e significado da vida.[28]

Essas operações da propaganda comercial são empregadas pela propaganda política, dobrando-a aos procedimentos da sociedade de consumo e de espetáculo. Não por acaso, essa propaganda recebe o nome de marketing, pois sua tarefa é vender a imagem do político e reduzir o cidadão à figura privada do consumidor. Para obter a identificação do consumidor com o produto, o marketing produz a imagem do político enquanto pessoa privada: características corporais, preferências sexuais, culinárias, literárias, esportivas, hábitos cotidianos, vida em família, bichos de estimação. A privatização das figuras do político como produto e do cidadão como consumidor privatiza o espaço público.

Um dos exemplos notáveis desse procedimento – ou melhor, o momento inaugural do marketing político no Brasil – foi a campanha eleitoral de Fernando Collor de Mello, em 1989. A apresentação do candidato se realizava por meio de "efeitos especiais", inspirados nos filmes de *Guerra nas estrelas*. Seu objetivo era oferecer a "marca do produto", no caso a modernidade e o destemor do candidato. Este,

[28] HARVEY. *Op. cit.*, p. 238.

sempre em mangas de camisa, significando que a modernidade estava comprometida com o povo, chegava aos comícios em um helicóptero que, iluminado por holofotes de mil cores, descia às praças, indicando que o candidato vinha do alto, dos céus à Terra – um enviado do Senhor.

Nos mesmos moldes, essa forma de propaganda marcou presença na campanha presidencial de Lula, em 2002, particularmente com a imagem produzida para as últimas transmissões: mulheres grávidas, vestidas de branco "telegênico", dançando, correndo, andando, saltando em uma planície verdejante ao som do *Bolero* de Ravel, para significar que estávamos às vésperas do parto de um novo país.

b) Rádio e televisão

Os primeiros estudos sociológicos, psicológicos e filosóficos sobre os meios de comunicação de massa foram feitos a partir da expansão das ondas de rádio. Mais do que o telefone, o telégrafo sem fio e o fonógrafo, o rádio despertou interesse porque com ele iniciaram-se efetivamente a informação e a comunicação de massa a distância. Sua importância e seu impacto podem ser avaliados com o caso da transmissão radiofônica de *A guerra dos mundos*, feita por Orson Welles.

Em meados dos anos 1930, o jovem Orson Welles irradiou por uma rádio de Nova York o romance de H. G. Wells *A guerra dos mundos*, que narra a invasão da Terra por marcianos. Orson Welles e sua turma não avisaram o público de que se tratava de uma obra de ficção, mas a apresentaram como se, de fato, Nova York estivesse sendo invadida por alienígenas. O pânico tomou conta da cidade, com pessoas fugindo de suas casas, procurando trens, ônibus, metrôs e automóveis para escapar à ameaça. E, a seguir, o pânico tomou conta do país, sendo necessário que o governo e o exército estadunidenses interviessem para acalmar a população.

O poder de persuasão e de convencimento do rádio levou a seu uso político (cotidiano e intenso) pelo nazismo, considerado por muitos pensadores o verdadeiro início da comunicação de massa porque descobriu e explorou a capacidade mobilizadora do rádio. Conferências de intelectuais nazistas, discursos de Hitler, transmissão de paradas militares, juvenis, infantis, femininas, entrevistas com militantes do partido nazista, transmissão de notícias diretamente das frentes de guerra, concertos e óperas de compositores alemães "autênticos" foram empregados para convencer a sociedade alemã da grandeza, da justeza e do poderio do Terceiro Reich.

Como o rádio, a televisão é um meio técnico de comunicação a distância que empresta do jornalismo a ideia de reportagem e notícia, da literatura a ideia do folhetim novelesco, do teatro a ideia de relação com um público presente e, marcando sua diferença com relação ao rádio, empresta do cinema os procedimentos com imagens. Do ponto de vista do receptor, o aparelho de rádio e o televisor são eletrodomésticos como o liquidificador ou a geladeira. Do ponto de vista do produtor, são centros de poder econômico (tanto porque são empresas privadas quanto porque são uma mercadoria que transmite e vende outras mercadorias) e centros de poder político ou de controle social e cultural.

Como indústria cultural, rádio e televisão operam segundo a lógica do mercado de entretenimento e da propaganda comercial. Por isso, introduzem duas divisões cuja referência é o poder aquisitivo dos consumidores: a dos públicos (as chamadas "classes"[29] A, B, C e D) e a dos horários (a programação se organiza em horários específicos que combinam a "classe", a ocupação – donas de casa, trabalhadores manuais, profissionais liberais, executivos –, a idade – crianças, adolescentes, adultos – e o sexo). Essa divisão atende às exigências dos patrocinadores, que financiam os programas em vista dos consumidores potenciais e, portanto, criam a especificação do conteúdo e do horário de cada programa. Em outras palavras, o patrocinador não aparece apenas no "intervalo comercial", pois o conteúdo, a forma e o horário do programa já exprimem em seu próprio interior a imposição do patrocinador. A figura do patrocinador também pode determinar o conteúdo e a forma de outros programas, ainda que não patrocinados por ele. Por exemplo, um banco de um governo estadual pode patrocinar um programa de auditório, pois isso é conveniente para atrair clientes, mas indiretamente também pode influenciar o conteúdo

[29] Escrevemos "classes" e "classe", e não classes e classe, para indicar que não se trata de um conceito referido à divisão social posta pelo modo de produção econômica, mas sim de uma imagem classificatória para estabelecer uma gradação entre alto e baixo poder aquisitivo, alto e baixo grau de escolaridade.

veiculado pelos noticiários, uma vez que, para não perder o patrocínio do programa de auditório, a empresa de televisão deixa de difundir notícias desfavoráveis a esse governo estadual.

A desinformação, aliás, é o principal resultado da maioria dos noticiários de rádio e televisão. Com efeito, de modo geral, as notícias são apresentadas de maneira a impedir que o ouvinte e o espectador possam localizá-las no espaço e no tempo.

Ausência de referência espacial ou atopia: as diferenças próprias do espaço percebido (perto, longe, alto, baixo, grande, pequeno) são apagadas; o aparelho de rádio e a tela da televisão tornam-se o único espaço real. As distâncias e proximidades, as diferenças geográficas e territoriais são ignoradas, de tal modo que algo acontecido na China, na Índia, nos Estados Unidos ou em Campina Grande apareça igualmente próximo e igualmente distante. É assim, por exemplo, que os acontecimentos de 11 de setembro de 2001 na cidade de Nova York (quando foram destruídas as duas torres do Centro Mundial de Comércio, ou World Trade Center) foram sentidos com grande emoção no Brasil, tendo algumas pessoas se referido ao fato como se fosse algo muito próximo e que as atingia, embora continuassem olhando calmamente e sem nenhuma emoção para crianças esfarrapadas e famintas pedindo esmolas nas esquinas das ruas de suas cidades.

Ausência de referência temporal ou acronia: os acontecimentos são relatados como se não tivessem causas passadas nem efeitos futuros; surgem como pontos puramente atuais ou presentes, sem continuidade no tempo, sem origem e sem consequências; existem enquanto são objetos de transmissão e deixam de existir se não são transmitidos. Têm a existência de um espetáculo e só permanecem na consciência dos ouvintes e espectadores enquanto permanece o espetáculo de sua transmissão.

Assim, por exemplo, desde os sequestros da filha de um apresentador de televisão e, depois, desse mesmo apresentador e de um publicitário muito conhecido no Brasil, os noticiários de rádio e televisão passaram a dedicar a maior parte do tempo a notícias sobre crimes (roubos, furtos, homicídios, sequestros, estupros, violência contra crianças, etc.), como se tais crimes tivessem surgido do nada, repentinamente. A população passou a sentir-se ameaçada e amedrontada porque passou a receber uma verdadeira enxurrada de notícias sobre esses assuntos, embora os crimes já ocorressem de longa data e tivessem aumentado havia muito tempo. Todavia, nenhum noticiário estabeleceu nenhuma relação entre a criminalidade e suas causas possíveis, tais como o problema do crime organizado e dos crimes de colarinho branco, os problemas postos pela economia (desemprego, exclusão social, desabrigo, fome, miséria, etc.) e suas consequências sociais (desigualdade social, injustiça, corrupção dos aparelhos policiais e judiciários, etc.). Nenhuma informação real foi transmitida à sociedade, a não ser a ideia de que criaturas más e perversas, saídas de parte nenhuma, haviam se posto, sem outro motivo a não ser a pura maldade, a ameaçar a vida e os bens de cidadãos honestos e desprotegidos.

Os acontecimentos de 11 de setembro em Nova York e Washington levaram o governo dos Estados Unidos a invadir e bombardear, primeiro, o Afeganistão e, a seguir, o Iraque. Subitamente, o Afeganistão passou a existir. Sua existência, porém, foi a de um espetáculo de rádio e televisão, tanto assim que, decorridos alguns meses e terminada a invasão estadunidense, desapareceu dos meios de comunicação, e muita gente já não se lembra que esse país existe. E mesmo durante o breve tempo em que "existiu", o Afeganistão parecia incompreensível, pois quando termos como "Aliança do Norte" e "taliban" passaram a ser usados pelos meios de comunicação ninguém sabia o que queriam dizer. E eram usados como se tivessem começado a existir naquele momento e não fizessem parte de uma história, que permaneceu desconhecida para os telespectadores e os radiouvintes.

Mas não só isso. Radiouvintes e telespectadores tiveram a impressão de que o ataque às torres de Nova York havia sido um ato repentino de loucura, algo insano, súbito e inexplicável, pois não tinham nenhuma informação sobre o passado que levou a tal acontecimento (quais as relações econômicas, políticas e militares entre o governo dos Estados Unidos e países do Oriente Médio? Por que tais relações causaram os ataques?). Curiosamente, aliás, ninguém indagou por que todos os noticiários se voltavam para as torres nova-iorquinas e praticamente nenhuma palavra era dita sobre o ataque ao Pentágono, isto é, ao coração militar dos Estados Unidos. Situação semelhante ocorreu e ocorre com as notícias sobre o Afeganistão e o Iraque, isto é, não há nenhuma referência aos interesses econômicos e geopolíticos dos Estados Unidos sobre uma das regiões mais ricas em petróleo e minérios. No caso do Iraque, os noticiários, além de repentinamente transformarem Saddam Hussein em ditador feroz e louco – ele que até há pouco tempo era um aliado, treinado e armado pelos serviços de segurança estadunidenses durante a guerra contra o Irã –, declaram incessantemente que a invasão teve como finalidade instalar a democracia e a liberdade no Iraque, de maneira que, para explicar o inexplicável, ou seja, uma guerra civil que já dura vários anos, as notícias afirmam que se trata de "insurgentes" estrangeiros e fanáticos religiosos. Com a palavra "terrorismo", tudo parece explicado quando nada o é efetivamente. Aliás, a desculpa esfarrapada para a invasão do Iraque e para ameaças de uma invasão do Irã, além do embargo econômico que foi imposto a esses dois países, é a existência de pesquisas nucleares com finalidade bélica, sem que, no entanto, seja dita uma única palavra sobre as armas nucleares produzidas por Israel. E o mesmo ocorre a respeito da Palestina, que comparece nos noticiários apenas sob a forma de atos de terror, sem que seja mencionada uma única informação sobre a ocupação e invasão de territórios palestinos por Israel, assim como não é mencionado o cerco policial e militar da população palestina, sitiada por uma alta muralha sob guarda israelense e submetida ao corte de energia elétrica, abastecimento de água e alimentação.

Como operam efetivamente os noticiários?

Em primeiro lugar, estabelecem diferenças no conteúdo e na forma das notícias de acordo com o horário da transmissão e o público, rumando para o sensacionalismo e o popularesco nos noticiários diurnos e do início da noite, e buscando sofisticação e apresentação de maior número de fatos nos noticiários de fim de noite. Em segundo, por seleção das notícias, omitindo aquelas que possam desagradar o patrocinador ou os poderes estabelecidos. Em terceiro, pela construção deliberada e sistemática de uma ordem apaziguadora: em sequência, apresentam, no início, notícias locais, com ênfase nas ocorrências policiais, sinalizando o sentimento de perigo; a seguir, entram as notícias regionais, com ênfase em crises e conflitos políticos e sociais, sinalizando novamente o perigo; passam às notícias internacionais, com ênfase em guerras e cataclismos (maremoto, terremoto, enchentes, furacões), ainda uma vez sinalizando perigo; mas concluem com as notícias nacionais, enfatizando as ideias de ordem e segurança, encarregadas de desfazer o medo produzido pelas demais notícias. E, nos finais de semana, terminam com notícias de eventos artísticos ou sobre animais (nascimento de um ursinho, fuga e retorno de um animal em cativeiro, proteção a espécies ameaçadas de extinção), de maneira a produzir o sentimento de bem-estar no espectador pacificado, sabedor de que, apesar dos pesares, o mundo vai bem, obrigado.

Em *Viagem na irrealidade cotidiana*, Umberto Eco fala nas "Dez regras de manipulação" obedecidas pelos noticiários de televisão:

- Regra 1: Comente-se apenas o que se pode ou se deve comentar, ignorando todo o resto da notícia.
- Regra 2: A notícia não tem necessidade de comentário aberto, mas se baseia na escolha dos adjetivos e em cuidadoso jogo de contraposições (por exemplo: adjetivos, advérbios e verbos bem escolhidos permitem noticiar que Iraque, Irã e Palestina desejam a guerra, mas Estados Unidos e Israel desejam a paz).
- Regra 3: Em caso de dúvida, é melhor calar (quem duvida está na incerteza, e isso enfraquece o poder da notícia).
- Regra 4: Coloque a má notícia ali onde ninguém a espera.
- Regra 5: Nunca dizer "polenta" quando se pode dizer "purê de milho" (ou: nunca dizer "arroz, feijão e ovo", mas "trivial ligeiro").
- Regra 6: Dê a notícia completa somente quando os jornais do dia seguinte já a publicaram.
- Regra 7: Exponha-se apenas se o governo já se expôs.
- Regra 8: Nunca omitir a intervenção de um ministro (é preciso dar sempre um ar de oficialidade às notícias políticas, mostrando autoridades).
- Regra 9: As notícias relevantes devem ser apenas narradas; as irrelevantes devem ser também filmadas.
- Regra 10: Mostrem-se coisas importantes apenas se acontecerem em outro país.

Paradoxalmente, rádio e televisão podem oferecer o mundo inteiro em um instante, mas o fazem de tal maneira que o mundo real desaparece, restando apenas retalhos fragmentados de uma realidade desprovida de raiz no espaço e no tempo. Como, pela atopia das imagens, desconhecemos as determinações econômico-territoriais (geográficas, geopolíticas, etc.) e como, pela acronia das imagens, ignoramos os antecedentes temporais e as consequências dos fatos noticiados, não podemos compreender seu verdadeiro significado. Essa situação se agrava com a TV a cabo, com emissoras dedicadas exclusivamente a notícias, durante 24 horas, colocando em um mesmo espaço e em um mesmo tempo (ou seja, na tela) informações de procedência, conteúdo e significado completamente diferentes, mas que se tornam homogêneas pelo modo de sua transmissão. O paradoxo está em que há uma verdadeira saturação de informação, mas, ao fim, nada sabemos, depois de termos tido a ilusão de que fomos informados sobre tudo.

Se não dispomos de recursos que nos permitam avaliar a realidade e a veracidade das imagens transmitidas, somos persuadidos de que efetivamente vemos o mundo quando vemos a TV. Entretanto, como o que vemos são as imagens escolhidas, selecionadas, editadas, comentadas e interpretadas pelo transmissor das notícias, então é preciso reconhecer que a TV é o mundo. É esse o significado profundo e preciso da *atopia* e da *acronia*, ou da ausência de referenciais concretos de lugar e tempo – ou seja, das condições materiais, econômicas, sociais, políticas, históricas dos acontecimentos. Em outras palavras, essa ausência não é uma falha ou um defeito dos noticiários, e sim um procedimento deliberado de controle social, político e cultural. Por quê?

Quando mencionamos o programa *Fantástico*, assinalamos a paradoxal inversão ali operada entre ciência e magia. Essa inversão, porém, não deve causar estranheza. Se a TV é o mundo, é porque ela se apresenta como dotada do poder de produzi-lo por meio de imagens e palavras; ou seja, imagens e palavras são eficazes, no sentido etimológico do termo, isto é, fazem acontecer. Ora, essa eficácia é exatamente o que define a magia, na qual as palavras, as imagens e os objetos especiais (os talismãs) têm o poder de fazer acontecer. Assim, proveniente de um desenvolvimento científico-tecnológico sem precedentes, a televisão o emprega sob a forma arcaica da magia. Ela é realmente fantástica!

Por isso mesmo, também não nos deve espantar a inversão entre realidade e ficção produzida pelos meios. Se o noticiário nos apresenta um mundo irreal, sem geografia e sem história, sem causas nem consequências, descontínuo e fragmentado, em contrapartida as telenovelas criam o sentimento de realidade, graças ao emprego de três procedimento principais:

1) O espaço se torna exótico quando corresponde ao do nosso cotidiano (os lugares conhecidos causam admiração e distanciamento simplesmente por sua conversão em imagens no vídeo) e se torna familiar quando corresponde ao exótico e desconhecido (todos os lugares que não conhecemos se tornam próximos e familiares porque suas imagens estão presentes no local onde nos encontramos).
2) O tempo dos acontecimentos telenovelísticos é lento para dar a ilusão de que, a cada capítulo, se passou apenas um dia de nossa vida ou de que se passaram algumas horas, tais como realmente passariam se fôssemos nós a viver os acontecimentos encenados.
3) As personagens, seus hábitos, sua linguagem, suas casas, suas roupas, seus objetos são apresentados com o máximo de realismo possível, de modo a impedir que tomemos distância diante deles (o efeito buscado é exatamente o contrário da literatura, do cinema e do teatro, que suscitam em nós o sentimento de proximidade justamente porque nos fazem experimentar o da distância).

Como consequência, a telenovela aparece como relato do real, enquanto o noticiário aparece como narrativa irreal. Basta ver, por exemplo, a reação de cidades inteiras quando uma personagem da novela morre (as pessoas choram, querem ir ao enterro, ficam de luto) ou quando um acontecimento é noticiado como algo espantoso, narrado como se fosse um capítulo de uma telenovela. Em resumo: o noticiário se apresenta como ficção (o acontecimento não tem densidade, é um espetáculo irreal) e a novela se apresentada como realidade (os episódios são espacializados e temporalizados de modo a produzir a ilusão de que são fatos).

Por sua vez, que informação transmite a telenovela? Opera reforçando o senso comum social, mantendo a suposta clareza da distinção entre o bem e o mal, a naturalização da hierarquia social e da pobreza, o desejo de "subir na vida", a recompensa dos bons e a punição dos maus.

É preciso também mencionar dois outros efeitos que os meios de massa produzem em nossas mentes: a dispersão da atenção e a infantilização.

Para atender aos interesses econômicos dos patrocinadores, rádio e televisão dividem a programação em blocos que duram de sete a dez minutos, sendo cada bloco interrompido pelos comerciais. Essa divisão do tempo nos leva a concentrar a atenção durante os sete ou dez minutos de programa e a desconcentrá-la durante as pausas para a publicidade. Pouco a pouco, isso se torna um hábito. Artistas de teatro afirmam que, durante um espetáculo, sentem o público ficar desatento a cada sete minutos. Professores observam que seus alunos perdem a atenção a cada dez minutos e só voltam a se concentrar após uma pausa que dão a si mesmos, como se dividissem a aula em "programa" e "comercial".

Ora, um dos resultados dessa mudança mental transparece quando crianças e jovens tentam ler um livro: não conseguem ler mais do que sete a dez minutos de cada vez, não conseguem suportar a ausência de imagens e ilustrações no texto, não suportam a ideia de precisar ler "um livro inteiro". A atenção e a concentração, a capacidade de abstração intelectual e de exercício do pensamento foram destruídas. Como esperar que possam desejar e interessar-se pelas obras de arte e de pensamento?

Por serem um ramo da indústria cultural e, portanto, por serem fundamentalmente vendedores de cultura que precisam agradar o consumidor, os meios infantilizam. Que é ser infantil (independentemente da idade cronológica)? Deixemos a Freud a resposta: ser infantil é não conseguir suportar a distância temporal entre o desejo e a satisfação dele. A criança é infantil justamente porque para ela o intervalo entre o desejo e a satisfação é intolerável.

Que fazem os meios de comunicação? Prometem e oferecem gratificação instantânea. Como o conseguem? Criando em nós os desejos e oferecendo produtos (publicidade e programação) para satisfazê-los. O ouvinte que gira o *dial* do aparelho de rádio continuamente e o telespectador que muda continuamente de canal o fazem porque sabem que, em algum lugar, seu desejo será imediatamente satisfeito. Além disso, como a programação se dirige ao que já sabemos e já gostamos, e como toma a cultura sob a forma de lazer e entretenimento, os meios satisfazem imediatamente nossos desejos porque não exigem de nós atenção, pensamento, reflexão, crítica, perturbação de nossa sensibilidade e de nossa fantasia. Em suma, não nos pedem o que as obras de arte e de pensamento nos pedem: trabalho da sensibilidade, da inteligência e da imaginação para compreendê-las, amá-las, continuá-las, criticá-las, superá-las. A cultura nos satisfaz se temos paciência para compreendê-la e decifrá-la. Exige maturidade. Os meios de comunicação nos satisfazem porque nada nos pedem, senão que permaneçamos para sempre infantis.

A destruição da capacidade de concentração e a infantilização conduzem a um terceiro efeito: o estímulo ao narcisismo, pois as imagens são produzidas e transmitidas para repetir sempre a mesma mensagem, "eu sou você". A tela se oferece como um gigantesco espelho no qual a única imagem refletida é a nossa, tal como produzida pela programação e pela propaganda. Em outras palavras, a imagem não é uma mediação, um signo que nos remeta a uma realidade distinta de nós, mas instaura uma relação imediata conosco, e essa relação só pode ser imediata se for uma relação de identificação.

Ora, para que haja identificação, é preciso que haja um sujeito com o qual nos identifiquemos. Quem é ele?

No noticiário, o sujeito é o locutor (ou "âncora") e o repórter, isto é, o sujeito é a TV, enquanto a notícia e seus protagonistas são objetos. Os protagonistas da notícia falam à câmera, dando, assim, veracidade à televisão como sujeito único do noticiário. Em contrapartida, o locutor (ou "âncora") e o repórter se dirigem a nós, explicando e interpretando o que o protagonista diz, uma vez que este é um objeto – portanto, nada sabe –, e a TV, o sujeito – portanto, sabe tudo.

Nos programas de entrevistas, o sujeito é a pessoa privada apresentada em sua intimidade (gostos, hábitos, *hobbies*, preferências, segredos), oferecendo exatamente o que a câmera busca, isto é, o sujeito narcísico e narcisista. O entrevistador realiza duas operações: (1) eleva e elogia o entrevistado ("vejam, ele/ela é melhor e superior a mim e a vocês telespectadores"); e (2) humilha, ridiculariza, envergonha, rebaixa, embaraça o entrevistado ("vejam, ele/ela não é tão melhor do que nós; você, telespectador, é igual ou superior a ele/ela"). A entrevista devassa, eleva e rebaixa, a fim de garantir que o melhor é "a pessoa média", isto é, eu, você, todos nós telespectadores. Em outras palavras, explora o narcisismo do entrevistado para reforçar o nosso.

Nos programas esportivos, também o locutor (e o repórter) é o sujeito, por isso explica e interpreta a imagem para o telespectador e o destitui da condição de sujeito que vê e entende o acontecimento esportivo – não é formidável que um acontecimento esportivo visto em imagem seja narrado para quem o está vendo? Mas não só o telespectador é destituído como sujeito, também o esportista que, afinal, é o sujeito da ação. De fato, após a partida, o repórter indaga ao esportista: "O que você achou?", "O você que sentiu?", deixando de lado o fundamental, isto é, que o esportista realizou a ação, transformando-o em mero espectador de sua própria ação, cujo sentido só é conhecido pelo locutor ou pelo repórter.

Nos programas de auditório, o sujeito é o apresentador, enquanto o "calouro", o "concorrente", o "respondedor de perguntas" são submetidos a procedimentos sádicos de humilhação pública, compensada pelos prêmios e aplausos. Além disso, o programa de auditório é o simulacro perfeito: palmas e aplausos são comandados pela direção do programa, mas o telespectador tem a ilusão de que são espontâneos; idade, sexo, classe social dos membros do auditório são fixados pela produção do programa, mas o telespectador tem a ilusão de que a presença é livre e espontânea; os participantes (calouros, competidores, etc.) já passaram por uma seleção prévia, mas o telespectador tem a ilusão de que há um concurso real.

Dessa maneira, não só a TV é o mundo, mas também é o sujeito, oferecendo-se como um gigantesco espelho no qual devemos ver nossa própria imagem, que parece estar ali simplesmente refletida, quando, na verdade, foi deliberadamente produzida para obter o efeito da identificação narcisista.

Como opera a TV?

Em *Quatro argumentos para eliminar a televisão*,[30] Jerry Mander (que foi, durante 15 anos, executivo e relações-públicas em redes de televisão norte-americanas) descreve as limitações tecnológicas que determinam como e o que a TV pode transmitir.

Ausência de sutileza. A tela de um televisor produz a imagem por meio de uma grade de pontos localizados em 500 linhas (a imagem

[30] MANDER, Jerry. *Four Arguments for the Elimination of Television*. New York: Quill, 1978.

que vemos é vista como se estivesse por trás da fina rede de um coador de chá). Isso significa que nem toda imagem será nítida ou "limpa", isto é, nem todos os pontos ou "sinais" que a formam são nítidos. Por isso, a televisão tem preferência por imagens cujos "sinais" ou pontos são nítidos, e estas são imagens de rostos em *close-up*, ou seja, vistos de muito perto. Além disso, o que está atrás e em volta da imagem não pode ser complexo (muitos objetos, muitas cores), mas precisa ser o mais simples possível. Por esse motivo, para "limpar" a imagem, há a tendência de separá-la do contexto em que se encontra, para que possa ser nítida na transmissão.[31]

Assim, nos programas geográficos ou turísticos, a câmera não consegue mostrar uma floresta (mostra uma mancha verde ou mostra algumas árvores) ou uma cidade (mostra uma mancha cinza ou mostra alguma rua com algumas casas); nos noticiários e programas de debates, por exemplo, nunca vemos o todo da cena, nunca vemos tudo o que está realmente acontecendo, mas apenas um corte, escolhido pela câmera.

Essa exigência tecnológica de ficar com imagens grandes e simples também determina as expressões de artistas, jornalistas, debatedores, etc., pois todo sentimento ou pensamento sutis ficam invisíveis e só são transmissíveis as emoções mais comuns e mais simples. É por isso que a televisão tem preferência por programas de auditório, programas sobre violência, os chamados filmes de ação, e esportes, isto é, todas as situações em que os sentimentos são poucos e são todos previsíveis. Também por isso, nas telenovelas, a gama de sentimentos apresentados é sempre mínima e a mesma (amor, ódio, raiva, medo, maldade, bondade, alegria exagerada), desaparecendo toda a sutileza da vida interior e emocional.

Redução da percepção. A televisão só pode transmitir sinais visuais e sonoros. Além de poder oferecer apenas imagens para a vista e a audição, as imagens visuais e sonoras não estão conectadas: vemos imagens distantes com som próximo (por exemplo, montanhas ao longe com nítido som de pássaros e de cachoeiras, que não poderíamos estar escutando de verdade; duas pessoas caminhando ao longe em uma rua

[31] Não temos conhecimentos técnicos que nos permitam saber se a televisão digital eliminou essas limitações.

e o som nítido de sua conversa, que não poderíamos estar ouvindo nessa distância, etc.). A câmera não consegue apresentar uma cena completa de um balé nem a totalidade de uma orquestra sinfônica. Além disso, na televisão, a imagem não pode ter profundidade, mas é sempre achatada; o movimento nunca pode ser visto em seu ritmo próprio, mas é sempre distorcido e deformado.

Regras de transmissão. Em decorrência das limitações tecnológicas do meio, a televisão obedece a um conjunto de regras que determinam o que é melhor para a transmissão e o que deve ser evitado. Das 35 regras mencionadas por Mander, selecionamos algumas:

1) A guerra televisiona melhor do que a paz porque contém muita ação e um sentimento poderoso, o medo (a paz é amorfa e sem graça; as emoções são interiores e sutis e não há como televisioná-las). Pelo mesmo motivo, violência televisiona melhor do que não violência.
2) Fatos externos (ocorrências e acontecimentos) televisionam melhor do que informações (ideias, opiniões, perspectivas), pois é mais forte mostrar coisas e fatos do que acompanhar raciocínios e pensamentos.
3) Afora rostos humanos, coisas televisionam melhor do que seres vivos (pessoas, animais e plantas) porque as coisas são simples, comunicam diretamente suas imagens em uma mensagem sem complicação, enquanto as pessoas são complexas, raciocinam, se emocionam, dizem coisas sutis.
4) Líderes religiosos e políticos carismáticos televisionam melhor do que os não carismáticos, pois estes se dirigem ao pensamento e ao sentimento interior das pessoas, mas aqueles se dirigem a emoções mais simples e visíveis, que são bem transmitidas.
5) É mais fácil transmitir um só do que muitos; por isso, nos acontecimentos de massa ou de multidão, escolhe-se uma única pessoa para opinar e falar ou uma sequência de pessoas entrevistadas uma a uma.
6) É melhor transmitir organizações hierárquicas do que democráticas, pois as primeiras têm forma muito simples, qual seja, a autoridade e os subordinados ou os seguidores.

7) Assuntos curtos com começo, meio e fim são melhores do que assuntos longos que exigem pluralidade de informações e aprofundamento de pontos de vista.
8) Sentimentos de conflito televisionam melhor do que sentimentos de concórdia; por isso competição televisiona melhor do que cooperação.
9 Ambição e consumo televisionam melhor do que espiritualidade, pois a câmera não tem como lidar com sutileza, diversidade e ambiguidade.
10) Quando televisionar "povos primitivos", apresente música, dança, canto, caça, pesca, lutas e evite entrevistas subjetivas nas quais se exprimem ideias, opiniões, sentimentos complexos.
11) O bizarro e o estranho televisionam muito bem.
12) A expressão facial é melhor do que o sentimento: chorar televisiona melhor do que a tristeza, rir televisiona melhor do que a alegria.
13) A morte televisiona melhor do que a vida: na morte tudo está claro e decidido, na vida tudo é ambíguo, fluido, não completamente decidido, aberto a muitas possibilidades.

A informática e o sistema multimídia

Na obra intitulada *A sociedade informática*, o filósofo Adam Schaff se refere à "revolução da microeletrônica", notando que, mesmo sem nos darmos conta, estamos rodeados por ela, desde os pequenos objetos de uso cotidiano, como o relógio de quartzo, a calculadora de bolso e o telefone celular, até os computadores e os voos espaciais.[32] Menciona também a "revolução na microbiologia", com a descoberta do código genético dos seres vivos, da qual seguiu a engenharia genética, que pode alterar o código genético de plantas, animais e seres humanos. Menciona ainda a "revolução da energia nuclear", obtida mediante a fissão e fusão controladas de átomos, podendo propiciar aos humanos recursos energéticos praticamente ilimitados,

[32] A obra de Schaff é anterior aos objetos eletrônicos de bolso como *smartphones* e *tablets*.

embora tenha sido prioritariamente usada para fins militares. Schaff denomina essas grandes mudanças de "segunda revolução técnico-industrial", escrevendo:

> Trata-se da segunda revolução técnico-industrial. A primeira, que pode ser situada entre o final do século XVIII e o início do século XIX e cujas transformações ninguém hesita em chamar de revolução, teve o grande mérito de substituir, na produção, a força física dos homens pela energia das máquinas (primeiro pela utilização do vapor e mais adiante sobretudo pela utilização da eletricidade). A segunda revolução, que estamos assistindo agora, consiste em que as capacidades intelectuais do homem são ampliadas e inclusive substituídas por autômatos, que eliminam com êxito crescente o trabalho humano na produção e nos serviços.[33]

O ponto importante assinalado por Schaff é a diferença entre os antigos objetos técnicos – que ampliavam a força física humana – e os novos objetos tecnológicos – que ampliam as forças intelectuais humanas, isto é, as capacidades do pensamento, pois são objetos que dependem de informações e operam ou fornecem informações. De fato, os computadores realizam em tempo extremamente rápido operações lógicas que um ser humano levaria muito mais tempo para realizar; possuem também uma memória muito superior à melhor memória humana; e estão organizados de maneira a autocorrigir a maior parte das falhas e dos enganos que cometerem em uma operação ou em um processo.

Computadores controlam armas e operações militares, voos espaciais, operações de aeroportos, de bancos e bolsas de valores, de sistemas urbanos de tráfego e de segurança, de edifícios denominados "inteligentes" e de setores inteiros do trabalho industrial e da produção econômica. Estão presentes nos carros de último tipo, nos estabelecimentos comerciais que vendem no atacado e no varejo, nos setores administrativos das instituições públicas e privadas. Encontram-se nas escolas e fazem parte do sistema de ensino e aprendizado dos países economicamente poderosos. Estão presentes nas editoras e produtoras

[33] SCHAFF, Adam. *A sociedade informática*. São Paulo: Brasiliense; Editora Unesp, 1990. p. 22.

gráficas, nos escritórios de engenharia, arquitetura e advocacia; nos consultórios médicos e hospitais; nas produtoras cinematográficas, fonográficas, televisivas e radiofônicas. Tornaram-se instrumentos de trabalho dos escritores, artistas, professores e estudantes, além de operarem como banco de dados para informações na vida cotidiana, como correio, lazer e entretenimento.

O problema, portanto, é saber quem tem a gestão de toda a massa de informações que controla a sociedade, quem utiliza essas informações, como e para que as utiliza, sobretudo quando se leva em consideração um fato técnico, que define a operação da informática, qual seja, a concentração e centralização da informação, pois tecnicamente os sistemas informáticos operam em rede, isto é, com a centralização dos dados e com a produção de novos dados pela combinação dos já coletados.

Muitos têm apontado alguns dos perigos da acumulação e distribuição de informações. Um primeiro perigo é o poder de controle sobre as pessoas, porque, a partir de informações parciais e dispersas recolhidas em vários arquivos, é possível gerar novas informações que sistematizam as primeiras e permitem reconstituir hábitos, interesses e movimentos dos indivíduos, como é o caso bastante simples da reconstituição das ações de alguém por meio das centrais telefônicas, que podem dizer para quem alguém telefonou, quantas vezes, por quanto tempo, etc. O segundo é a posse de informações por pessoas não autorizadas, que entram em contato com informações sigilosas tanto do setor público (informações militares, econômicas, políticas) como da vida privada (por exemplo, as contas bancárias). O terceiro está na possibilidade de uso das informações por poderes privados para controlar pessoas e instituições, assim como para causar-lhes dano (espionagem industrial e política, ação dos senhores do crime organizado, que usam as informações para praticar sequestros, chantagens, assassinatos).

Benjamin falara nos efeitos da reprodução das obras de arte (pelos livros, pelo rádio e pelo cinema). McLuhan previra o término da "galáxia Gutenberg" (isto é, o mundo do livro impresso) com o advento da televisão. Ambos sublinharam as potencialidades de uma difusão cultural sem precedentes, na medida em que os novos meios de comunicação tornaram acessíveis as produções culturais do mundo todo. Esse mesmo efeito é trazido pela informática: temos acesso imediato a museus e bibliotecas, jornais completos em praticamente todas as línguas; com os *multimedia*, dispomos de cinema, vídeo, música, noticiários, telecursos e teleconferências (ou a educação a distância).

Do ponto de vista cultural, em sentido antropológico amplo, a informática leva ao limite a compressão espaçotemporal, a atopia e a acronia. A esse respeito, escreve McLuhan (como sempre, muito entusiasmado e deslumbrado):

> No decorrer das eras mecânicas, estendemos nossos corpos no espaço. Hoje, porém, passado mais de um século de tecnologia eletrônica, estendemos o nosso próprio sistema nervoso central num abraço global, abolindo, no tocante ao nosso planeta, tanto o espaço como o tempo.[34]

Como sabemos, durante a primeira e a segunda revoluções industriais, o corpo humano estendeu-se no espaço (primeiro com o telescópio, o microscópio e a máquina a vapor, depois com as máquinas elétricas, o telégrafo, o telefone, o rádio, o cinema e a televisão). Agora, porém, com os satélites e a informática, é nosso cérebro ou nosso sistema nervoso central que se expande sem limites, diminuindo distâncias espaciais e intervalos temporais até abolir o espaço e o tempo. O universo está *on-line* durante 24 horas, sem obstáculos de distâncias e diferenças geográficas, sociais e políticas, nem de distinção entre o dia e a noite, ontem, hoje e amanhã. Tudo se passa aqui e agora, como se vê nas chamadas "salas de bate-papo", em que é possível conversar com pessoas de outro extremo do mundo, cuja presença é instantânea, ou como se vê nas grandes operações financeiras, feitas em um piscar de olhos, entre empresas ou entre bancos situados nos confins da terra.

Os chamados "meios digitais" potencializam de maneira nunca antes vista o poder do capital sobre o espaço, o tempo, o corpo e a psique humanos. De fato, do ponto de vista da cultura, no sentido restrito de produção de obras de pensamento, estamos diante de uma nova forma de inserção do saber e da tecnologia no modo de produção capitalista. Nas revoluções técnicas e tecnológicas anteriores, a pesquisa científica teórica era autônoma e se tornava ciência aplicada quando empregada por meio de tecnologias vinculadas à produção econômica

[34] MCLUHAN. *Op. cit.*, p. 146.

ou quando os resultados teóricos eram retomados com fins econômicos em laboratórios mantidos pelas empresas de produção. Hoje a ciência (teórica e aplicada) tornou-se força produtiva, deixando de ser um suporte do capital para se converter em agente de sua acumulação e reprodução. Consequentemente, mudou o modo de inserção social dos pensadores porque se tornaram agentes econômicos diretos, e a força e o poder capitalistas encontram-se hoje no monopólio dos conhecimentos e da informação:

> O que caracteriza a atual revolução tecnológica não é a centralidade de conhecimentos e informação, mas sua aplicação para a geração de conhecimentos e de dispositivos de processamento/comunicação da informação em um ciclo de realimentação cumulativo entre a inovação e seu uso. [...] As novas tecnologias da informação não são simplesmente ferramentas a serem aplicadas, mas processos a serem desenvolvidos.[35]

Ora, essa mudança radical do lugar e do significado da ciência ultrapassa o sentido restrito da cultura (criação de obras de arte e de pensamento) para alcançá-la em seu sentido antropológico amplo (instituição social da ordem simbólica, que determina a relação com o espaço, o tempo, o visível e o invisível, o sagrado e o profano, as formas do trabalho, a sexualidade, as formas do poder, os valores morais, religiosos e políticos, os hábitos alimentares, de vestuário, etc.). Com efeito,

> Há, por conseguinte, uma relação muito próxima entre os processos sociais de criação e manipulação de símbolos (a cultura da sociedade) e a capacidade de produzir e distribuir bens e serviços (as forças produtivas). Pela primeira vez na história, a mente humana é uma força direta de produção, não apenas um elemento decisivo no sistema produtivo.
>
> Assim, computadores, sistemas de comunicação, decodificação e programação genética são todos amplificadores e extensões da mente humana. O que pensamos e como pensamos é expresso em bens, serviços, produção material e intelectual, sejam alimentos, moradia, sistemas de transporte e comunicação, mísseis, saúde,

[35] CASTELLS, M. *A sociedade em rede.* São Paulo: Paz e Terra, 1999. p. 69.

> educação ou imagens. [...] Com certeza, os contextos culturais/institucionais e a ação social intencional interagem de forma decisiva com o novo sistema tecnológico, mas este tem sua lógica própria, caracterizada pela capacidade de transformar todas as informações em um sistema comum de informações, em uma rede de recuperação e distribuição potencialmente ubíqua.[36]

A tradição da antropologia social havia estabelecido como referenciais de definição, comparação e avaliação das culturas a maneira como as trocas eram simbolicamente estruturadas – troca de mulheres, ou sistema de parentesco; troca de bens e objetos, ou sistema econômico; troca entre vontades, ou sistema de poder; troca de signos, ou sistema linguístico – e considerava a diferença entre culturas "primitivas" e "civilizadas" decorrente da ausência, nas primeiras, e da presença, nas segundas, de mediadores ou mediações nos sistemas de trocas – código civil, mercado, Estado e escrita. Isso permitia aos antropólogos afirmar que as sociedades civilizadas não são regidas por sistemas de trocas, que nelas há uma pluralidade de esferas socioculturais, cada qual com sua ordem e sua lógica próprias, o que permite conferir alto grau de autonomia entre essas esferas nas culturas "civilizadas", isto é, capitalistas. As análises de Marx, porém, mostraram não só a *articulação real* entre essas esferas, determinadas pela materialidade econômica, mas também as razões pelas quais *aparecem* como se estivessem separadas ou como se fossem autônomas. Assim, somos hoje levados a duas conclusões: a primeira é paradoxal, pois temos de admitir que, em sua forma mais avançada, o modo de produção capitalista destrói as mediações que, segundo os estudos antropológicos, conferiam autonomia às várias esferas sociais e se estrutura pela unidade dos sistemas de trocas, à maneira das culturas "primitivas". A segunda é óbvia: Marx sabia o que estava falando, e, portanto, em lugar de se afirmar, como no texto de Castells que citamos acima, que há "uma relação muito próxima entre os processos sociais de criação e manipulação de símbolos (a cultura da sociedade) e a capacidade de produzir e distribuir bens e serviços (as forças produtivas)", ou que há interação entre "os contextos culturais/institucionais e a ação social intencional com o novo sistema

[36] *Ibidem.*

tecnológico", precisamos afirmar não apenas, como supunha Marx, a determinação econômica dos processos simbólicos, mas sua *absorção* pelo processo econômico.

Aqui, é imprescindível mencionar, ainda uma vez, a análise de Francisco de Oliveira[37] sobre a passagem da economia social-democrata (ou o Estado do Bem-Estar Social) à neoliberal. Enquanto a primeira operava uma divisão na partilha dos fundos públicos, destinando uma parte ao financiamento da reprodução da força de trabalho por meio do salário indireto (direitos sociais como educação, saúde, habitação, férias, salário-desemprego, salário-família, etc.) e outra ao capital, sob a forma de subsídios, a neoliberal corta a destinação dos fundos públicos no polo dos direitos sociais e os dirige quase integralmente ao capital. Como isso foi possível? Em primeiro lugar, porque por vários motivos, que não vamos explicitar aqui, o Estado entrou em uma crise de endividamento conhecida como "déficit fiscal", e este foi atribuído ao custo dos encargos sociais. Em segundo, e principalmente, porque ao instituir o salário indireto o Estado cortou o laço que prendia estruturalmente o capital ao trabalho ou ao salário direto. Esse laço era responsável pelas limitações que o trabalho impunha ao ritmo das transformações tecnológicas. Desfeito o laço, nada mais prendia o capital, que pôde desenvolver, em um ritmo e em um grau jamais vistos, potencialidades tecnológicas inteiramente novas, para as quais não possuía liquidez, exigindo, assim, que o Estado dirigisse os fundos públicos a seu financiamento. Dessa maneira, a economia passou da forma industrial à forma chamada "pós-industrial", na qual a ciência e a técnica se tornaram forças produtivas diretas.

Se regressarmos, agora, ao texto que comentávamos e, em lugar de supor uma "relação de proximidade" ou uma "interação" entre o simbólico e o econômico, compreendermos que houve absorção do simbólico pelo econômico, também compreenderemos por que essa absorção dá origem à expressão "sociedade do conhecimento". Com ela, pretende-se indicar que a economia contemporânea se funda sobre a ciência e a informação, graças ao uso competitivo do conhecimento,

[37] OLIVEIRA, Francisco de. *Os direitos do antivalor: a economia política da hegemonia imperfeita. Op. cit.*

da inovação tecnológica e da informação nos processos produtivos e financeiros, bem como de serviços como a educação, a saúde e o lazer. Ora, é sugestivo, nessa expressão, que a palavra "sociedade" seja tomada como sinônimo de economia, e a palavra "conhecimento", como sinônimo de força produtiva. Aliás, alguns chegam mesmo a falar em "capital intelectual" como o principal princípio ativo das empresas.[38]

> A produtividade e a competitividade na produção informacional baseiam-se na geração de conhecimentos e no processamento de dados. A geração do conhecimento e a capacidade tecnológica são ferramentas fundamentais para a concorrência entre empresas, organizações de todos os tipos e, por fim, países [...] O desenvolvimento econômico e o desempenho competitivo não se baseiam na pesquisa fundamental [pesquisa teórica ou básica], mas na ligação entre a pesquisa elementar e a pesquisa aplicada e sua difusão entre organizações e indivíduos. A pesquisa acadêmica avançada e um bom sistema educacional são condições necessárias, mas não suficientes, para que os países, as empresas e os indivíduos ingressem no paradigma informacional [...] O desenvolvimento tecnológico global precisa da conexão entre a ciência, a tecnologia e o setor empresarial, bem como com as políticas nacionais e internacionais.[39]

Afirma-se que, hoje, o conhecimento não se define mais por disciplinas específicas, e sim por problemas e por sua aplicação nos setores empresariais. A pesquisa é pensada como uma estratégia de intervenção e de controle de meios ou instrumentos para a consecução de um objetivo delimitado. Em outras palavras, é um *survey* de problemas, dificuldades e obstáculos para a realização do objetivo, e um cálculo de meios para soluções parciais e locais para problemas e obstáculos locais. Emprega intensamente redes eletrônicas para se produzir e se transformar em tecnologia e submete-se a controles de qualidade segundo os quais deve mostrar sua pertinência social mostrando sua eficácia econômica.

[38] "A riqueza não reside mais no capital físico, e sim na imaginação e criatividade humana" (RIFKIN, J. *La era del acceso*. Buenos Aires: Paidós, 2000). Estima-se que mais do 50% do PIB das maiores economias da Organização para a Cooperação e o Desenvolvimento Econômico (OECD) encontram-se fundados no conhecimento.

[39] CASTELLS. *Op. cit.*, p. 167.

Fala-se em "explosão do conhecimento"[40] para indicar o aumento vertiginoso dos saberes quando, na realidade, indica o modo da determinação econômica do conhecimento, pois, no jogo estratégico da competição no mercado, uma organização de pesquisa se mantém e se firma se é capaz de propor problemas novos e soluções eficazes do ponto de vista do mercado. Por isso, o conhecimento contemporâneo se caracteriza pelo crescimento acelerado e pela tendência a uma rápida obsolescência.

Se as artes já haviam sido devoradas pela indústria cultural, agora são as ciências que se encontram inteiramente absorvidas pela lógica do mercado, e, com elas, todo o sistema da educação formal. Não só a pesquisa se transformou em mero *survey* (deixando de ser investigação no sentido forte do termo) e posse de instrumentos para intervir e controlar alguma coisa, mas também depende diretamente dos investimentos empresariais, os quais são determinados pelo jogo estratégico da competição no mercado, de maneira que os pesquisadores são mantidos e se firmam somente se são capazes de propor áreas de problemas, dificuldades, obstáculos sempre novos, o que é feito pela fragmentação de antigos problemas em novíssimos microproblemas, sobre os quais o controle parece ser cada vez maior. E, como a sobrevivência depende dos investimentos, a competição, o segredo, o ocultamento de metodologias e resultados tornam-se práticas com que os cientistas avalizam a ideologia liberal da racionalidade da guerra de todos contra todos e da vitória do mais apto (no caso, do mais esperto).

[40] Segundo cifras de J. Appleberry, citado por José Joaquín Brunner, o conhecimento de base disciplinar e registrado internacionalmente demorou 1750 anos para duplicar-se pela primeira vez, contado desde o início da era cristã; a seguir, duplicou seu volume a cada 150, e depois a cada 50. Atualmente o faz a cada cinco anos e se estima que, para o ano 2020, se duplicará a cada 73 dias. Estima-se que a cada quatro anos duplica-se a informação disponível no mundo. Todavia, assinalam os analistas, somos capazes de prestar atenção em apenas 5 a 10%. BRUNNER, José Joaquín. Peligro y promesa: la Educación Superior en América Latina. In: LÓPEZ SEGRERA, F.; MALDONADO, Alma (Org.). *Educación superior latinoamericana y organismos internacionales: un análisis crítico.* Cali, Unesco, Boston College e Universidad de San Buenaventura, 2000, *apud* TUNNEMANN, Carlos; CHAUI, Marilena. Desafios de la universidad en la sociedad del conocimiento. (Texto preparatório para a Conferência Mundial sobre a Educação, Unesco, 2004.)

Que se passa no plano da comunicação?

Como escreve Caio Túlio Costa,[41] houve não só a expansão da tecnologia analógica, mas, em menos de duas décadas, o salto para a tecnologia digital, a explosão da telefonia celular e a multiplicação das maneiras de comunicação, com a possibilidade de interação entre redes de computador, e "um aumento exponencial na velocidade de transmissão de dados, sob qualquer plataforma – celular, rádio, satélite, fibra de vidro ou mesmo fio de cobre". Dessa forma, os dados passaram a trafegar nas redes de comunicação, passando de mil para milhões de *bytes*.

A tecnologia do sistema digital modifica totalmente a forma da comunicação, pois pode integrar em um único sistema de distribuição e recepção a televisão, a internet, o cinema, a telefonia de voz e imagem, redes de dados, distribuídos pela casa ou pelo escritório para cada aparelho receptor: "televisão de alta definição, telefone fixo ou celular, tela de cinema, micro-ondas e até geladeira, tudo regulado via internet... Cada canal de seus infindáveis canais vai permitir uma aplicação diferente".[42] Não causa espanto que companhias de produtos eletrônicos e empresas de telecomunicações estejam em disputa para controlar esse negócio de ponta a ponta.

Em outras palavras, o sistema digital produz um salto naquilo que surgiu na segunda metade da década de 1990, a chamada *multimídia*, sistema de comunicação que integra diferentes veículos de comunicação e seu potencial interativo. A multimídia

> [...] estende o âmbito da comunicação eletrônica para todos os domínios da vida: da casa ao trabalho, das escolas aos hospitais, do entretenimento às viagens. Em meados dos anos 1990, governos e empresas do mundo inteiro empenharam-se numa corrida frenética para a instalação do novo sistema, considerado uma ferramenta de poder, fonte potencial de altos lucros e símbolo de hipermodernidade.[43]

Nenhum país tinha condições para, sozinho, dar forma ao sistema multimídia, uma vez que, em função da escala dos investimentos

[41] COSTA, Caio Túlio. *Op. cit.*

[42] *Ibidem*, p. 183.

[43] CASTELLS. *Op. cit.*, p. 450.

em infraestrutura, os governos não dispunham de recursos para atuar com independência. Formaram-se consórcios empresariais regionais/globais, com a fusão de companhias telefônicas, operadoras de TV a cabo, operadoras de transmissão de TV por satélite, estúdios de cinema, gravadoras de discos, editoras, jornais, empresas de computadores e provedores da internet, além de novas formas de integração tecnológica (como webTV e City Web). O desenvolvimento de um sistema multimídia integrado, porém, não exige apenas gigantescos investimentos em infraestrutura e programação, mas ainda a definição do chamado "ambiente regulador" (isto é, quem manda em quem e no quê), dificultado por conflitos e litígios óbvios e previsíveis entre empresas, partidos políticos e legisladores dos governos.

> Em tais condições, só grupos poderosíssimos, resultantes de alianças entre empresas de comunicação de massa, operadoras de comunicação, provedores de serviços de internet e empresas de computadores estarão em posição de dominar os recursos econômicos e políticos necessários para a difusão da multimídia. Assim, haverá um sistema multinacional, porém, com toda probabilidade, será decisivamente moldado pelos interesses comerciais de uns poucos conglomerados ao redor do mundo.[44]

No caso da multimídia, pesquisas realizadas em alguns países do capitalismo central indicam que a chamada "casa eletrônica" enfatiza dois traços de um novo modo de vida: a centralidade da casa e o individualismo.

Centralidade da casa: aumentou o tempo passado em casa, pois praticamente tudo pode ser feito sem sair do domicílio (compras, pagamentos, correspondência, várias modalidades de trabalho e as informações sobre os acontecimentos, dos quais não se precisa ou não se quer participar), e os principais gastos da família são dirigidos à aquisição de aparelhos que permitam não sair de casa.

Individualismo: os aparelhos portáteis levam cada membro da família a organizar seu próprio espaço e seu próprio tempo – o micro-ondas favorece refeições solitárias, reduzindo as refeições familiares coletivas; o telefone celular e o microcomputador permitem conversas no isolamento

[44] *Ibidem*, p. 453.

de um cômodo, sem a presença de outros membros da família. Além disso, com a baixa dos preços de aparelhos de rádio, televisão, *videogames* e aparelhos de som para CD, todos eles equipados com um sistema individual para a audição, cada membro da família pode compor seu próprio mundo audiovisual à parte dos outros.

Havíamos notado que a marca principal no neoliberalismo é o encolhimento do espaço público e o alargamento do espaço privado. Esse alargamento se manifesta não somente no plano econômico, isto é, na concentração oligopólica das empresas de comunicação, mas também na forma da sociabilidade: a "centralidade da casa" exprime exatamente a ampliação do espaço privado.

Havíamos observado também que a condição pós-moderna é inseparável do elogio da intimidade, que, nos meios de massa, reforça o narcisismo. O "individualismo", mencionado nas pesquisas, exprime uma cultura e uma sociedade narcisistas.

Outras pesquisas indicam o crescimento da estratificação social entre os usuários: ou seja, o peso das diferenças de classe, etnia e gênero, pois o acesso à multimídia depende não só de condições econômicas (dinheiro, infraestrutura física da casa, disponibilidade de tempo), mas também de condições educacionais e culturais (conhecimento de várias línguas, conhecimentos gerais básicos para poder buscar informações e formas de interação entre elas), de sorte que surgem dois tipos de usuários, o que é capaz de ação seletiva e interativa e o que só é capaz de recepção de pacotes enviados pelo emissor. Em outras palavras, a multimídia reforça a exclusão social (do ponto de vista econômico) e a hierarquia (do ponto de vista social e cultural).

A multimídia potencializa um fenômeno que já tínhamos frisado ao nos referirmos à televisão, qual seja, a indistinção entre as mensagens e entre os conteúdos. Como todas as mensagens estão integradas em um mesmo padrão cognitivo e sensorial, uma vez que educação, notícias e espetáculos são fornecidos pelo mesmo meio, os conteúdos se misturam e se tornam indiscerníveis. Essa mescla dos conteúdos é agravada e reforçada pela encenação: programas educativos em forma de *videogames*, notícias em forma de espetáculo, transmissão de sessões do Poder Legislativo ou do sistema judiciário como se fossem novelas, jogos esportivos como se fossem coreografias de dança, etc. Em suma, como nas mídias tradicionais, o simbólico é devorado pelas imagens, os contextos semânticos são fragmentados e unificados com a mistura de sentidos aleatórios. Numa palavra, cresce ilimitadamente o universo dos simulacros.

Essa situação é ainda mais agravada com a chamada "televisão digital", que instaura a "convergência na comunicação", isto é, todos os meios em um único suporte de distribuição. A indústria da mídia "utilizará necessariamente a informática (tanto no *hardware* quanto no *software*), o conteúdo e a arte (na informação e no entretenimento) e as tecnologias de distribuição (no ar ou nas fibras)".[45]

Finalmente, a multimídia unifica em um universo digital manifestações culturais distintas no espaço e no tempo, diferentes por sua origem (classes sociais, nacionalidades, etnias, religiões, Estados, centros de pesquisa, etc.), diversas por seu conteúdo e sua finalidade (informação, educação, entretenimento, política, artes, religião), dando origem à *cultura virtual.*

Conhecemos a distinção entre virtual e real. Virtual é o que existe sem estar diretamente presente ou dado em nossa experiência. Ausente como um dado, está presente como condição de nossa experiência (por exemplo, só podemos ver as coisas graças à profundidade, mas não a vemos; ela é uma presença invisível, aquilo que não vemos, mas que é condição para nossa visão). Virtual é também o que existe como uma possibilidade que pode concretizar-se (por exemplo, uma escultura pode estar virtualmente em um pedaço de mármore e pode concretizar-se graças ao trabalho do escultor). Real é o que existe de fato, podendo ser dado diretamente em nossa experiência ou ao nosso pensamento, ainda que frequentemente seja dado de maneira deformada, incompleta e ilusória (como na ideologia). Sabemos que a cultura, em sentido amplo, é criação de símbolos, e estes exprimem nossa relação com o que está ausente, presentificam uma ausência (a linguagem presentifica seres ausentes ao nomeá-los, isto é, as palavras são símbolos que tornam presente o que está ausente; nas religiões, os ritos e as cerimônias são símbolos ou atos simbólicos que presentificam as divindades ausentes; o trabalho é uma prática que produz ou torna presente algo que não existia, e o produto exprime, isto é, simboliza o produtor). A cultura dá sentido ao espaço e ao tempo, à sexualidade,

[45] COSTA. Op. cit., p. 183.

à afetividade e ao desejo, define valores (bom/mau, belo/feio, justo/injusto, verdadeiro/falso), distingue entre o sagrado e o profano, entre os vivos e os mortos, e entre o possível e o impossível. A cultura é, portanto, uma ordem simbólica e opera com a distinção entre presença ou realidade e ausência ou virtualidade.

Ora, a peculiaridade da multimídia está em que ela produz "realidade virtual" ou "virtualidade real", ou seja, torna indistintos os dois aspectos que a cultura sempre distinguiu, pois essa distinção é essencial a ela como ordem simbólica. O que é o sistema de comunicação multimídia?

> É um sistema em que a própria realidade (ou seja, a experiência simbólica/material das pessoas) é inteiramente captada, totalmente imersa em uma composição de imagens virtuais no mundo do faz de conta, no qual as aparências não apenas se encontram na tela comunicadora da experiência, mas se transformam em experiência. Todas as mensagens de todos os tipos são incluídas no meio porque fica tão abrangente, tão diversificado, tão maleável, que absorve no mesmo texto de multimídia toda a experiência humana, passada, presente e futura, como em um ponto único do universo.[46]

Em outras palavras, o sistema multimídia, expressão da pós-modernidade, potencializa a atopia e a acronia, que já haviam sido a marca da antiga televisão. O espaço se torna um "fluxo de imagens", e o tempo se torna intemporal. Ao fazê-lo, destrói a ordem simbólica da cultura, pois uma "virtualidade real" ou uma "realidade virtual" pressupõem que a distinção entre presença e ausência se reduza a estar presente ou estar ausente na rede ou no sistema multimídia. Anteriormente, a TV era o mundo. Agora, o mundo é a rede multimídia, confirmando o dito de Marx de que, no modo de produção capitalista, "tudo o que é sólido desmancha no ar".

A questão central: os meios de comunicação como poder

Podemos focalizar a questão do exercício do poder pelos meios de comunicação de massa sob dois aspectos principais, quais sejam, o econômico e o ideológico.

[46] CASTELLS. *Op. cit.*, p. 459.

Do ponto de vista econômico, os meios de comunicação são empresas privadas, mesmo quando, como é o caso do Brasil, rádio e televisão são concessões estatais feitas a empresas privadas; ou seja, os meios de comunicação são uma indústria (a indústria cultural) regida pelos imperativos do capital. Tanto é assim que, sob a ação da forma econômica neoliberal ou da chamada "globalização", a indústria da comunicação passou por profundas mudanças estruturais, pois "num processo nunca visto de fusões e aquisições, companhias globais ganharam posições de domínio na mídia".[47] Além da forte concentração (os oligopólios beiram o monopólio), também é significativa a presença, no setor das comunicações, de empresas que não tinham vínculos com ele nem tradição nessa área. O porte dos investimentos e a perspectiva de lucros jamais vistos levaram grupos proprietários de bancos, indústria metalúrgica, indústria elétrica e eletrônica, fabricantes de armamentos e aviões de combate, indústria de telecomunicações a adquirir, mundo afora, jornais, revistas, serviços de telefonia, rádios e televisões, portais de internet, satélites, etc.

Essas mudanças nos fazem compreender que o poder econômico, graças ao qual os meios de comunicação instituem o espaço e

[47] COSTA. Op. cit., p. 178. Existem sete grandes corporações globais: Disney, Time Warner, Sony, News Corporation, Viacom, Vivendi-Universal e Bertelsmann – norte-americanas, europeias e japonesas. Como satélites, há 70 empresas de mídia relacionadas com os sete conglomerados, de maneira direta ou indireta, e são nichos de mercado nacionais ou regionais (quase metade é norte-americana, e outra metade é japonesa e europeia). Entre as latino-americanas, estão: Televisa (México), Globo (Brasil), Clarín (Argentina) e Cisneros (Venezuela). Vale lembrar que essa situação está em constante mudança. No caso do Brasil, até os anos 1990, dez grupos familiares controlavam a quase totalidade dos meios de comunicação: Marinho (Globo), Abravanel (SBT), Bloch (Manchete), Civita (Abril), Frias (*Folha de S.Paulo*), Levy (Gazeta Mercantil), Mesquita (*O Estado de S. Paulo*), Nascimento Brito (*Jornal do Brasil*), Saad (Bandeirantes) e Sirotsky (Rede Brasil). A crise econômica do início do século e as mudanças constitucionais (permissão da participação de capital estrangeiro e de pessoa jurídica) derrubaram quatro grupos, restando Abravanel, Civita, Frias, Marinho, Saad e Sirotsky. O grupo Abril vendeu 13% de suas ações a fundos norte-americanos; o grupo Globo vendeu 36% do capital da NET para a Telmex e tornou-se sócio minoritário da Sky Brasil (do australiano Murdoch), o grupo Folha cedeu 20% de todo seu capital para a Portugal Telecom, que anteriormente era sua sócia na operação de internet, a UOL. Além disso, empresas totalmente estrangeiras praticam jornalismo no país por meio da comunicação eletrônica.

o tempo públicos, não é exercido por agentes que deliberam e agem em vista de seus próprios interesses e fins particulares. Como observam com grande pertinência Maria Rita Kehl e Eugênio Bucci,[48] o sujeito do poder não são os proprietários dos meios de comunicação, nem os Estados, nem grupos e partidos políticos, mas simplesmente (e gigantescamente) o próprio capital. O poder midiático, escrevem eles, é um "mecanismo de tomada de decisões que permite ao modo de produção capitalista, transubstanciado em espetáculo, sua reprodução automática". Os proprietários dos meios de comunicação são suportes do capital. Evidentemente, não se trata de negligenciar o poder econômico dos senhores dos conglomerados midiáticos nem sua força para produzir ações ou efeitos sociais, políticos e culturais. No entanto, em um nível mais profundo, trata-se de compreender, como mostram as análises de Kehl e Bucci (reatando laços com as de Benjamin, Adorno e Horkheimer) que essas ações *exibem* poder, mas não o *constituem*, pois sua constituição encontra-se no modo de produção do capital.

Do ponto de vista ideológico, podemos assinalar uma situação semelhante, tomando como referência a análise de Claude Lefort sobre a ideologia contemporânea como ideologia invisível.[49] Assim como o poder econômico *aparece* localizado nos proprietários das empresas da indústria da comunicação, mas *é* o poder ilocalizado do capital, assim também, mas de maneira invertida (já que estamos no campo da ideologia), as representações ou imagens que constituem a ideologia *aparecem* desprovidas de localização, embora *estejam* precisamente localizadas nos centros emissores da comunicação.

A ideologia burguesa, tal como apresentada por Marx, assim como a ideologia totalitária, tinha a peculiaridade de indicar quem eram seus autores ou agentes, ou seja, a burguesia (que proferia um discurso construído e articulado pelas ideias produzidas pelos intelectuais pequeno-burgueses) e, no caso do totalitarismo, o Estado (que falava em nome do social e do povo, graças às representações construídas pelo partido). Tanto o discurso burguês como o discurso totalitário eram proferidos do alto e pretendiam ser discursos sobre o

[48] KEHL, Maria Rita; BUCCI, Eugênio. *Videologia*. São Paulo: Boitempo, 2005.

[49] LEFORT, Claude. Esboço de uma gênese da ideologia nas sociedades modernas. In: *As formas da história*. São Paulo: Brasiliense, 1982.

social e para o social. A ideologia contemporânea, escreve Lefort, é invisível porque não parece construída nem proferida por um agente determinado, convertendo-se em um discurso anônimo e impessoal, que parece brotar espontaneamente da sociedade como se fosse o *discurso do social*:

> O rádio, a televisão, o cinema, os jornais e as revistas de divulgação tornam viáveis sistemas de representação que seriam impossíveis sem eles. Com efeito, para que a ideologia possa ganhar generalidade suficiente para homogeneizar a sociedade no seu todo é preciso que a mídia cumpra seu papel de veicular a informação não de um polo particular a outro polo particular, mas de um foco central circunscrito que se dirige ao todo indeterminado da sociedade. Com os debates públicos virando espetáculos e discutindo tudo – economia, política, arte concreta, sexo, educação, música pop, arte clássica e contemporânea, do gênero mais nobre ao mais trivial –, cria-se a imagem de uma reciprocidade entre emissor e receptor, que deve aparecer como reciprocidade verdadeira e definida nas relações sociais.
>
> Essa imagem é duplamente eficaz, pois, ao mesmo tempo, exalta a comunicação, independente de seu conteúdo e de seus agentes, e simula a presença de pessoas. [...] A eficácia do discurso veiculado pelos meios de comunicação decorre do fato de que ele não se explicita senão parcialmente como discurso político e isso lhe confere generalidade social. São as coisas do cotidiano, as questões da ciência, da cultura que sustentam a representação imaginária de uma democracia perfeita, na qual a palavra circula sem obstáculos.[50]

Como determinar o lugar social em que as representações ideológicas ou o imaginário ideológico são efetivamente produzidos? Pensamos que a ideologia invisível só se torna compreensível como exercício de poder se a consideramos por outro prisma, aquele que temos denominado com a expressão *ideologia da competência*. Ou seja, a peculiaridade da ideologia contemporânea está no seu modo de aparecer sob a forma anônima e impessoal do discurso do conhecimento, e sua eficácia social, política e cultural funda-se na crença na racionalidade técnico-científica. Em outras palavras, o discurso ideológico pode

[50] *Ibidem*, p. 320-321.

aparecer como discurso *do* social porque o social *aparece* constituído e regulado por essa racionalidade.

Quando nos referimos aos vários procedimentos empregados pela mídia – entrevistas, jornalismo opinativo e assertivo, programas de auditório e esportivos, telenovelas, noticiários –, indagamos quem era o sujeito da comunicação e pudemos observar que o sujeito é sempre o próprio meio de comunicação (o entrevistador, o jornalista, o repórter, o animador, o locutor e, evidentemente, a câmera e a direção do programa). Quando passamos às novas e mais recentes tecnologias de comunicação, observamos a transformação da ciência e da técnica em forças produtivas e o surgimento da "sociedade do conhecimento", isto é, da identidade entre poder e informação. Nos dois casos, o discurso tem a forma de um discurso do conhecimento, e em ambos está em ação a ideologia da competência.

A ideologia da competência pode ser resumida da seguinte maneira: não é qualquer um que pode em qualquer lugar e em qualquer ocasião dizer qualquer coisa a qualquer outro. O discurso competente determina de antemão quem tem o direito de falar e quem deve ouvir, assim como predetermina os lugares e as circunstâncias em que é permitido falar e ouvir, e, finalmente, define previamente a forma e o conteúdo do que deve ser dito e precisa ser ouvido. Essas distinções têm como fundamento uma distinção principal, aquela que divide socialmente os detentores de um saber ou de um conhecimento (científico, técnico, religioso, político, artístico), que podem falar e têm o direito de mandar e comandar, e os desprovidos de saber, que devem ouvir e obedecer. Em uma palavra, a ideologia da competência institui a divisão social entre os competentes, que sabem, e os incompetentes, que obedecem.

Enquanto discurso do conhecimento, essa ideologia opera com a figura do especialista. Os meios de comunicação não só se alimentam dessa figura, mas também não cessam de instituí-la como sujeito da comunicação. O especialista competente é aquele que, no rádio, na TV, na revista, no jornal ou na multimídia, divulga saberes, falando das últimas descobertas da ciência ou nos ensinando, por exemplo, à maneira do resenhista (de que falamos no início), como escrever um livro ou um artigo. O especialista competente nos ensina a bem fazer sexo, jardinagem, culinária, educação das crianças, decoração da casa, a ter boas maneiras, a usar roupas apropriadas em horas e locais apropriados, como amar Jesus e ganhar o céu, meditação espiritual, como ter um corpo juvenil e saudável, como ganhar dinheiro e subir na vida. O principal especialista, porém, não se confunde com nenhum dos anteriores, mas é uma espécie de síntese, construída a partir das figuras precedentes: é aquele que explica e interpreta as notícias e os acontecimentos econômicos, sociais, políticos, culturais, religiosos e esportivos, aquele que devassa, eleva e rebaixa entrevistados, zomba, premia e pune calouros – em suma, o "formador de opinião" e o "comunicador". Ideologicamente, portanto, o poder da comunicação de massa não é igual ou semelhante ao da antiga ideologia burguesa, que realizava uma *inculcação* de valores e ideias. Dizendo-nos o que devemos pensar, sentir, falar e fazer, afirma que nada sabemos, e seu poder se realiza como *intimidação* social e cultural.

Todavia, é preciso compreender o que torna possível essa intimidação e a eficácia da operação dos especialistas. O que as possibilita é, de um lado, a presença cotidiana (explícita ou difusa), em todas as esferas de nossa existência, da competência como forma que confere sentido racional às divisões, assimetrias, desigualdades e hierarquias sociais – em suma, a interiorização da ideologia pela sociedade; e, de outro, sua manifestação reiterada e perfeita na estrutura dos meios de comunicação, que, por meio do aparato tecnológico, da atopia e da acronia, e dos procedimentos de encenação e de persuasão, aparecem com a capacidade mágica de fazer acontecer o mundo. Ora, essa capacidade é a competência suprema, a forma máxima do poder: o de criar a realidade. E esse poder é ainda maior (igualando-se ao divino) quando, graças a instrumentos técnico-científicos, essa realidade é virtual ou a virtualidade é real. O poder ideológico-político se realiza como produção de simulacros.

A internet e o poder econômico

Com explica Paul Mathias,[51] a internet é um ponto de convergência entre uma arquitetura industrial, múltiplas linguagens informáticas e um grande número de práticas intelectuais e cognitivas,

[51] MATHIAS, Paul. *Qu'est-ce que l'Internet?* Paris: Vrin, 2009.

econômicas, sociais, políticas, artísticas e de lazer. É uma organização de informações, parte da Rede (a *Web*) na qual o centro está em toda parte e a circunferência, em nenhuma, disseminada numa infinidade de máquinas através do mundo. A internet é um enxame de redes privadas e públicas, institucionais, comerciais, governamentais, associativas conectadas em inúmeros "nós" que formam uma "nebulosa informacional amplamente insondável, diversamente organizada, às vezes aberta e disponível, mas frequentemente fechada e secreta"[52] e que aparece como uma comunicação tecnológica e universal entre as consciências que compartilham opiniões, pontos de vista, experiências, pensamentos, observações, hábitos e mesmo as banalidades da vida cotidiana ou um mundo de representações entrelaçadas, concordantes ou antagônicas.

Ora, a internet nasce numa infraestrutura econômica que ela mantém invisível, como ocorre em todas as esferas da sociedade capitalista. Mais do que um instrumento da economia ou uma estratégia econômica, ela aparece como um ambiente universal de informação e comunicação globalmente uniforme, como capaz de trazer proveitos cognitivos, sociais, artísticos e políticos e como instrumento de pesquisa, de tal maneira que seu usuário "pode instantaneamente se beneficiar com todos os serviços que a potência de seu dispositivo técnico é suscetível de lhe dar".[53] Na verdade, embora o uso das redes possa envolver usos técnicos diversos, nossa experiência reticular está circunscrita a um número restrito de programas aplicativos que permitem as múltiplas operações desejadas em um número limitado de gestos previstos e uniformes em todo o planeta, sem que tenhamos a menor ideia do que são e significam os protocolos informáticos que empregamos. De fato, "o objeto que cintila na tela" não é um texto ou uma imagem, mas "um sistema aplicativo opaco do qual percebemos apenas a interface que utilizamos",[54] sem jamais conhecer sua complexidade técnica, que permanece invisível sob a visibilidade contínua. Ignoramos os procedimentos operatórios que a criaram e a conservam, as leis de sua formação e configuração, sua arquitetura funcional. Em

52 *Ibidem*, p. 24.

53 MATHIAS. *Op. cit.*, p. 24.

54 *Ibidem*, p. 27.

outras palavras, com a internet não sabemos onde estamos nem o que fazemos! Somos literalmente incompetentes.

A internet nos coloca diante de uma contradição: de um lado, atravessando potencialmente todas as fronteiras territoriais e políticas, parece permitir uma distribuição de conhecimentos, dar fim às disparidades cognitivas e permitir aos grupos e aos indivíduos se apropriarem de seu ambiente econômico, social, cultural e político; de outro, porém, as práticas reticulares determinam lentamente o surgimento de um novo tipo de subjetividade que não se define mais pelas relações do corpo com o espaço e o tempo do mundo ou da vida, mas com a complexidade de relações, que permanecem esparsas e fragmentadas.

Visto que estamos aqui diante da apropriação social e política de uma tecnologia de informação e comunicação, vale a pena compará-la a uma outra.

No século XVII, os radicais da Revolução Inglesa usaram de maneira admirável uma nova técnica de informação e comunicação que estava diretamente ao seu alcance: a imprensa. Tratava-se de uma pequena prensa portátil, com tipos de madeira postos numa caixa e recipientes de tinta. Um revolucionário fabricava sua prensa, os tipos e a tinta, pegava papel, punha esse material embaixo do braço, participava de uma reunião ou de uma discussão pública; a seguir, imprimia os resultados dos debates, produzindo panfletos que, em algumas horas, eram distribuídos por todo o país, mobilizando novos revolucionários. Os radicais deram um sentido revolucionário não só à nova ferramenta, mas também a um dos resultados da Reforma Protestante, qual seja, para combater a Igreja Católica e seu clero, único que lia a Bíblia e que se punha como mediador entre o fiel e Deus, os protestantes alfabetizaram a população e traduziram a Bíblia do latim para as línguas vernáculas. Assim, alfabetização e imprensa foram apropriadas pelos sujeitos sociais e se tornaram instrumentos de ação política revolucionária.

Se levarmos em consideração o monopólio da informação pelas empresas de comunicação de massa, podemos considerar, do ponto de vista da ação política, a internet e as redes sociais como ação democratizadora, tanto por quebrar esse monopólio, assegurando a produção e a circulação livres da informação, como também por promover acontecimentos políticos de afirmação do direito democrático à participação – como se viu, por exemplo, no início de 2011, no Egito, no início de 2012, em Wall Street, e em 2013, na Espanha e no Brasil. No entanto, se mantivermos a comparação com os revolucionários ingleses do XVII, será preciso assinalar duas diferenças significativas.

Em primeiro lugar, a ação dos revolucionários ingleses era fundada num saber e numa prática autônomos, isto é, o revolucionário tinha o saber da técnica por ele empregada – fabricava a prensa, os tipos e a tinta, produzia o panfleto e o distribuía; em contrapartida, os usuários da internet e das redes sociais não possuem o domínio tecnológico da ferramenta que empregam, como assinalamos acima. Em segundo lugar, justamente porque são *usuários*, não detêm qualquer poder sobre a ferramenta empregada, pois esse poder é uma estrutura altamente concentrada: a Internet Protocol, com dez servidores nos Estados Unidos e dois no Japão, nos quais estão alojados todos os endereços eletrônicos mundiais, de maneira que, se tais servidores decidirem se desligar, desaparece toda a internet. Além disso, a gerência da internet é feita por uma empresa estadunidense em articulação com o Departamento de Comércio dos Estados Unidos, isto é, gere o cadastro da internet mundial. Assim, sob o aspecto maravilhosamente criativo e anárquico das redes sociais em ação política ocultam-se o controle e a vigilância sobre seus usuários em escala planetária, isto é, sobre toda a massa de informação do planeta.

Como observa Laymert Garcia dos Santos,[55] o capital global privatiza as telecomunicações, coloniza a rede e faz o loteamento do campo eletromagnético, visando controlar o acesso ao chamado ciberespaço, sob a forma não da relação de compra e venda com seus clientes, e sim de fornecimento e uso. Trata-se, portanto, de um novo tipo de mercado em que o cliente, ou melhor, o usuário é transformado em mercadoria porque a estratégia de venda não consiste mais em vender um produto para o maior número de clientes, mas em vender no ciberespaço o maior número de usuários para um produto ou uma empresa. Daí a importância dada ao aumento crescente do tempo em que usuário permanece conectado a esse espaço, tempo que

[55] SANTOS, Laymert Garcia dos. *Politizar as novas tecnologias: o impacto sociotécnico da informação digital e genética*. São Paulo: Editora 34, 2003.

é capitalizado. De fato, explica Garcia dos Santos, os provedores de acesso traçam o perfil do usuário em termos de preferências de acesso (escolhas e rejeições), idade, gostos, etc.; perfil que serve de base de cálculo para o valor de tempo de vida em termos de sua virtualidade de acesso e consumo. O indivíduo se reduz a um fluxo de dados que pode ser reorganizado e vendido de acordo com os interesses de potenciais anunciantes, os quais, de posse dessas amostras compradas, invadirão os acessos dos indivíduos ao ciberespaço com propagandas já direcionadas para seus gostos. O controle é feito sobre senhas e acessos, organizados como amostras de bancos de dados, bases com que o mercado financeiro se articula com a especulação de possibilidades, isto é, do valor da informação, única mercadoria que conta, tornando-se a medida de todas as coisas, pois para o capital global a informação é a medida quantitativa de tudo.

Os defensores da internet como forma aberta e livre de informação e comunicação se debatem, portanto, com essas formas de controle e vigilância com que o poder econômico e político das corporações a ameaçam. Na luta contra essas ameaças, foi proposto, no Brasil, que o Poder Executivo encaminhasse ao Congresso Nacional um projeto de lei que defina o marco regulatório da internet no Brasil, conhecido como Marco Civil da Internet. A esse respeito escreve Sérgio Amadeu da Silveira:

> A ONU declarou em 2011 que a internet é um direito humano fundamental. Todavia, em quase todo o mundo, a internet encontra-se sob ataque. Os ataques visam mudar o modo como a internet funciona atualmente, reduzindo sua interatividade, ampliando o poder de filtragem de mensagens nas redes, implantando a censura, elevando os custos de seu uso livre e destruindo as defesas contra a manipulação comercial dos dados pessoais, entre outras ações. No Brasil, em 2013, os principais embates giraram em torno da aprovação do marco regulatório da internet no Brasil.
>
> O Marco Civil tem como objetivo definir os direitos dos brasileiros no uso da internet no país. Assim, o projeto de lei trata da responsabilidade civil de usuários e provedores, define o que é

> neutralidade da rede, assegura a privacidade e que tipo de dados dos usuários podem ser armazenados.[56]

Três princípios são centrais na proposta do Marco Civil: a neutralidade da rede, o direito à privacidade e o direito à liberdade dos usuários.

Como explica Silveira, as corporações de telecomunicações sabem que alcançarão um poder econômico, cultural e político maior do que já possuem se conseguirem filtrar, barrar e "pedagiar" os pacotes de informação que viajam em suas redes físicas. Por isso, *neutralidade da rede* significa que as empresas de telefonia, que dominam as fibras ópticas, não podem interferir nas informações que trafegam por elas, ficando impedidas de filtrar, bloquear, censurar ou retirar informações.

Vimos acima que a vigilância e o controle sobre os usuários são praticados pelas empresas de telecomunicações sem que as pessoas saibam que suas informações são armazenadas, cruzadas, processadas e vendidas. De fato, como observamos anteriormente,

> [...] dados pessoais e informações sobre quais os sites que as pessoas visitam, quais horários e com qual frequência utilizam determinadas aplicações nas redes, o endereço IP utilizado, o tipo de navegador e o sistema operacional, são exemplos dos chamados "rastros digitais", que têm enorme valor econômico. Com a finalidade de conformar os perfis de consumo e organizar os diferentes tipos de comportamento dos cidadãos, os rastros digitais são armazenados em bancos de dados para serem minerados (*data mining*) e correlacionados. Essas informações são um grande ativo econômico das sociedades em rede.[57]

Por isso, *privacidade* significa procedimentos legalmente definidos sobre a proteção de dados pessoais, guarda e disponibilidade dos registros de conexão e de acesso aos aplicativos da internet, "impedindo que o

[56] Sérgio Amadeu da Silveira, palestra no Seminário sobre Comunicação, Fundação Perseu Abramo, novembro de 2013. Sérgio Amadeu da Silveira é doutor em Ciência Política, professor da Universidade Federal do ABC (UFABC). Membro do Comitê Gestor da Internet no Brasil, integra o Conselho Científico da Associação Brasileira de Pesquisadores em Cibercultura (ABCiber). Foi presidente do Instituto Nacional de Tecnologia da Informação (2003-2005).

[57] *Ibidem*.

provedor de conexão escaneie, armazene, processe e venda os dados de navegação dos cidadãos".[58]

A internet é uma rede cibernética de comunicação e controle. Para navegar na rede, cada máquina precisa receber do provedor de acesso um número IP (Protocolo de Internet). Para abrir um site, explica Silveira, cada computador precisa ter uma posição inequívoca na rede, a qual é baseada em protocolos técnicos de controle. Como precisamos de um IP para tudo o que fazemos na rede e como toda navegação deixa registros, o grande problema na internet é como impedir que um IP permita identificar uma pessoa e, portanto, como impedir a implantação de regras que permitam ampliar a capacidade de vigilância sobre a navegação dos cidadãos. O Marco Civil da Internet defende o direito à *liberdade* por meio de procedimentos legalmente definidos que impeçam que um usuário possa ser identificado a partir dos rastros digitais de um IP.

[58] *Ibidem.*

Carta aos estudantes[1]

Prezados alunos,

Soube, por alguns colegas professores, que muitos de vocês estão intrigados ou perplexos com o meu suposto "silêncio". Digo suposto porque, como lhes mostrarei a seguir, essa imagem foi construída pelos meios de comunicação, particularmente pela imprensa. Na verdade, tenho falado bastante em vários grupos de discussão política que se formaram pelo País, mas tenho evitado a mídia e vou lhes dizer os motivos. Antes de fazê-lo, porém, queria fazer algumas observações gerais.

1. Vocês devem estar lembrados de que, durante o segundo turno das eleições presidenciais, a mídia (imprensa, rádio e televisão) afirmava que Lula não iria poder governar por causa dos radicais do PT, isto é, pessoas como Heloísa Helena, Babá e Luciana Genro. Vocês não acham curioso que, desde meados de 2003 e sobretudo hoje, essas pessoas tenham sido transformadas pela mídia em portadores da racionalidade e da ética, verdadeiros porta-vozes de um PT que foi traído e que teria desaparecido? Como indagava o poeta: "mudou o mundo ou mudei eu?". Ou deveríamos indagar: a mídia é volúvel ou possui interesses muito claros, instrumentalizando aqueles que podem servi-los conforme soprem os ventos?

[1] Escrita em 2005.

2. Vocês devem estar lembrados de que, desde os primeiros dias do governo Lula, uma parte da mídia, manifestando preconceito de classe, afirmava que o Presidente da República, não tendo curso universitário nem sabendo falar várias línguas, não tinha competência para governar. Cansando dessa tecla, que não surtia resultado, passou-se a ironizar e criticar os discursos de Lula e seus improvisos. Não tendo isso dado resultado, passou-se a falar do populismo presidencial, isto é, a forma arcaica do governo. Como isso também não deu resultado, passou-se a falar de um país à beira da crise, alguns chegando a dizer que estávamos numa situação parecida com a de março de 1964 e, portanto, às vésperas de um golpe de Estado! Como o golpe não veio (ele veio agora, sob a forma de um golpe branco), passou-se a falar em crise do governo (as divergências entre Palocci e Dirceu) e em crise do PT (as divergências entre as tendências).

Penso que um dos pontos altos dessa sequência foi um artigo de um jornalista que dizia que, na arma do policial que matou Jean Charles, o brasileiro em Londres, estava a impressão digital de Lula, pois, não criando empregos, forçara a emigração! Além de delirante, a afirmação ocultava: (a) que aquele brasileiro estava na Inglaterra havia cinco anos (emigrou durante o governo FHC); (b) estavam publicados os dados de crescimento do emprego do Brasil nos últimos dois anos. Eu poderia prosseguir, mas creio ser suficiente o que mencionei para que se perceba que estamos caminhando sobre um terreno completamente minado.

3. As duas primeiras observações me conduzem a uma terceira, que julgo a mais importante. Vocês sabem que, entre os princípios que norteiam a vida democrática, o direito à informação é um dos mais fundamentais. De fato, na medida em que a democracia afirma a igualdade política dos cidadãos, afirma por isso mesmo que todos são igualmente competentes em política. Ora, essa competência cidadã depende da qualidade da informação, cuja ausência nos torna politicamente incompetentes. Assim, esse direito democrático é inseparável da vida republicana, ou seja, da existência do espaço público das opiniões. Em termos democráticos e republicanos, a esfera da opinião pública institui o campo público das discussões, dos debates, da produção e da recepção das informações pelos cidadãos. E um direito, como vocês sabem, é sempre universal, distinguindo-se do interesse, pois este é

sempre particular. Ora, qual o problema? Na sociedade capitalista, os meios de comunicação são empresas privadas e, portanto, pertencem ao espaço privado dos interesses de mercado; por conseguinte, não são propícios à esfera pública de opiniões, colocando para os cidadãos, em geral, e para os intelectuais, em particular, uma verdadeira aporia, pois operam como meio de acesso à esfera pública, mas esse meio é regido por imperativos privados. Em outras palavras, estamos diante de um campo público de direitos regido por campos de interesses privados. E estes sempre ganham a parada.

Apesar de tudo o que lhes disse acima, fiz, como os demais (no mundo inteiro, aliás), uso dos meios de comunicação, consciente dos limites e dos problemas envolvidos neles e por eles. Exatamente por isso, hoje, vocês perguntam por que não os usei para discutir a difícil conjuntura brasileira. Tenho quatro motivos principais para isso. O primeiro é de ordem estritamente pessoal. Os que fizeram o meu curso no semestre passado sabem que mal pude ministrá-lo em decorrência do gravíssimo problema de saúde de minha mãe. Aos 91 anos, minha mãe, no dia 24 de fevereiro, teve derrame cerebral hemorrágico, permaneceu em coma durante dois meses e, ao retornar à consciência, estava afásica, hemiplégica, com problemas renais e pulmonares. De fevereiro ao início de junho, permaneci no hospital, fazendo-lhe companhia durante 24 horas. Cancelei todos os meus compromissos nacionais e internacionais, não participei das atividades do ano Brasil-França, não compareci às reuniões mensais do grupo de discussão política e não prestei atenção no que se passava no País. Assim, na fase inicial da crise política, eu não tinha a menor condição, nem o desejo, de me manifestar publicamente.

O segundo motivo foi, e é, a consciência da desinformação. Vendo algumas sessões das CPIs e noticiários de televisão, ouvindo as rádios e lendo jornais, dava-me conta do bombardeio de notícias desencontradas, que não permitiam formar um quadro de referência mínimo para permitir algum juízo. Além disso, pouco a pouco, tornava-se claro que as notícias não só eram desencontradas, mas também apresentadas como surpresas diárias. O que se imaginava saber na véspera era desmentido no dia seguinte. Mas não só isso. Era também possível observar, sobretudo no caso dos jornais e televisões, que as manchetes ou "chamadas" não correspondiam exatamente ao conteúdo da notícia, fazendo com que se desconfiasse de ambos. A desinformação (como alguém disse outro dia: "da missa, não sabemos a metade"), não permitindo análise e reflexão, pode levar a opiniões levianas, num momento que não é leve e sim grave.

Além disso, a notícia já é apresentada como opinião, em lugar de permitir a formação de uma opinião. Por isso mesmo, a forma da notícia tornou-se assustadora, pois indícios e suspeitas são apresentados com evidências, e, antes que haja provas, os suspeitos são julgados culpados e condenados. Esse procedimento fere dois princípios afirmados em 1789, na Declaração dos Direitos do Homem e do Cidadão, quais sejam, todo cidadão é considerado inocente até prova em contrário, e ninguém poderá ser condenado por suas ideias, mas somente por seus atos. Ora, vocês conhecem o texto de Hegel, na *Fenomenologia do espírito*, sobre o Terror (em 1793), isto é, a transformação sumária do suspeito em culpado e sua condenação à morte sem direito de defesa, morte efetuada sob a forma do espetáculo público. Essa perspectiva, como vocês também sabem, é também desenvolvida por Hannah Arendt e Claude Lefort a respeito do totalitarismo e seus tribunais, e para isso ambos enfatizam, na Declaração de 1789, o princípio referente à não criminalização das ideias, assinalando que nos regimes totalitários a opinião dissidente é tratada como crime.

Assim, na presente circunstância brasileira, a impressão geral deixada pela mídia é da mescla de espetáculo e terror, tornando mais difícil do que já era manifestar ideias e opiniões nela e por meio dela.

Meu terceiro motivo será compreendido por vocês quando lerem os artigos de jornal que inseri no final da carta. Um artigo foi escrito antes da posse de Lula ["Desconfiança saudável", na *Folha*, em 8/12/2002], alertando para o risco de "transição", isto é, um acordo com o PSDB. Os outros dois foram escritos em 2004, quando do "caso Waldomiro" [ambos na *Folha*: "A disputa simbólica", em 18/02/2004, e "Em prol da reforma política", em 11/03/2004]. Ambos insistem na necessidade urgente da reforma política. Os fatos atuais (ou o que aparece como fato) não modificam em nada o que escrevi há quase um ano; pelo contrário, reforçam o que havia dito, e por isso não vi razão para voltar a escrever, pois eu escreveria algo ridículo, do tipo: "Como já escrevi no dia tal em tal lugar...". Ou seja, se meu segundo motivo me leva a considerar que não há a menor condição para opinar no varejo sobre cada fato ou notícia, meu terceiro motivo é que, no que toca ao problema de fundo, já me manifestei publicamente.

Resta o quarto motivo. Aqui, há duas ordens diferentes de fatos que penso ser necessário apresentar. A primeira refere-se ao ciclo "O silêncio dos intelectuais"; a segunda, à atitude da mídia. Há 20 anos, Adauto Novaes organiza anualmente ciclos internacionais de conferências e debates sobre temas atuais. Sempre com um ano de antecedência, Adauto se reúne com amigos para discutir o tema do ciclo. Participo desse grupo de discussão. Em abril de 2004, quando nos reunimos para decidir o ciclo de 2005, alguns membros do grupo (entre quais eu) preparavam-se para um colóquio, na França, cujo tema era "Fim da política?", outros iam participar de um seminário nos Estados Unidos sobre enclausuramento dos intelectuais nas universidades e centros de pesquisas, e outros iniciavam os preparativos para a comemoração do centenário de Sartre, símbolo do engajamento político dos intelectuais.

Nesse ambiente, acabamos propondo que o ciclo discutisse a figura contemporânea do intelectual, e Adauto propôs como título "O silêncio dos intelectuais". Uma vez feitos os convites nacionais e internacionais aos conferencistas, recebidas as emendas e organizada a infraestrutura, Adauto fez o que sempre faz: com muitos meses de antecedência, conversou com jornalistas, passou-lhes as ementas, explicou o sentido e a finalidade do ciclo.

Ou seja, no início de 2005, a imprensa tinha conhecimento do ciclo e de seu título. E eis que, de repente, não mais que de repente, durante a crise política, alguns falaram do "silêncio dos intelectuais", referindo-se aos intelectuais petistas! Curiosa escolha de título para matéria jornalística... ["O silêncio dos inocentes", reportagem da *Folha* em 19/06/2005] Veio assim, sem mais nem menos, por pura inspiração. Mais curiosa ainda foi essa escolha se se considerar que, ao longo de 2005, praticamente todos os intelectuais petistas (talvez com exceção de Antonio Candido e de mim) se manifestaram em artigos, entrevistas, programas de rádio e de televisão!!! Onde o silêncio? Como eu lhes disse, notícias são produzidas sem ou contra fatos. E com as notícias vieram as versões e opiniões, os julgamentos sumários e as desqualificações públicas, culminando no tratamento dado ao ciclo, quando ele se iniciou.

A mídia decidiu que o ciclo se referia aos intelectuais petistas, apesar de saber que fora pensado em 2004, de ler as ementas, de haver participantes que não são petistas, para nem falar dos conferencistas estrangeiros. O ciclo virou espetáculo.

Uma revista afirmou que, entre os patrocinadores (Minc, Petrobras e Sesc), estavam faltando os Correios. Outra afirmou que os participantes eram intelectuais do tipo "porquinho prático" (não explicou o que isso queria dizer). Um jornal colocou a notícia da primeira conferência (a minha) no caderno de política, sob a rubrica "Escândalo do mensalão", com direito a foto, etc.

A segunda ordem de fatos está diretamente relacionada comigo. Quando publiquei o artigo sobre o "caso Waldomiro", um jornalista escreveu uma coluna na qual me dirigiu todo tipo de impropérios e usou expressões e adjetivos com que me desqualificava como pessoa, mulher, escritora, professora e intelectual engajada.

Não respondi. Apenas escrevi o segundo artigo, sobre a reforma política, e dei por encerrada minha intervenção pública por meio da imprensa. A partir de então, além de não publicar artigos em jornais, decidi não dar entrevistas a jornais, rádios e televisões (dei entrevista quando tomei posse no Conselho Nacional de Educação porque julgo que, numa República, alguém indicado para um posto público precisa prestar contas do que faz, mesmo que os meios disponíveis para isso não sejam os que escolheríamos). A seguir, veio a doença da minha mãe e, depois, a crise política como espetáculo.

No entanto, paradoxalmente, não fiquei fora da mídia: houve, por parte de jornais, revistas, rádios e televisões, solicitações diárias de entrevistas e de artigos; a matéria jornalística "O silêncio dos intelectuais", não tendo obtido entrevistas minha, citava trechos de meus antigos artigos de jornal; matérias jornalísticas sobre o PT e sobre os intelectuais petistas traziam, via de regra, uma foto minha, mesmo que nada houvesse sobre mim na notícia.

Finalmente, quando se iniciou o ciclo sobre o silêncio dos intelectuais, um jornal estampou minha foto, colocou em maiúsculas NÃO FALO (resposta que dei a um jornalista que queria uma entrevista quando da reunião dos intelectuais petistas com Tarso Genro, em São Paulo), e o colunista concluía a matéria dizendo que o silêncio dos intelectuais petistas era, na verdade, o silêncio de Marilena Chaui, o qual seria rompido com a conferência ["Ciclo expõe mal-estar e silêncio da academia", reportagem da *Folha* em 21/08/2005].

Resultado: jornais e revistas, com fotos minhas, não deram uma linha sequer sobre a conferência, mas pinçaram trechos do debate, sem mencionar as perguntas nem dar por inteiro as respostas e seu contexto, transformando em discurso meu um discurso que não proferi tal como apresentado.

E entrevistaram tucanos (até as vestais da República, Álvaro Dias e Arthur Virgílio!!!), pedindo opinião sobre o que decidiram dizer que eu disse! E os entrevistados opinaram!!! Num jornal do Rio de Janeiro e num de São Paulo, FHC disse uma pérola, declarando que, por não conhecer Espinosa, não fala nem escreve sobre ele, e que eu, como não entendo de política, não deveria falar sobre o assunto. Como vocês podem notar, o princípio democrático segundo o qual todos os cidadãos são politicamente competentes foi jogado no lixo.

Qual o sentido disso? Deixo de lado o fato de ser mulher, intelectual e petista (embora isso conte muitíssimo), para considerar apenas o núcleo da relação estabelecida comigo. A mídia está enviando a seguinte mensagem: "Somos onipotentes e fazemos seu silêncio falar. Portanto, fale de uma vez!". É uma ordem, uma imposição do mais forte ao mais fraco. Não é uma relação de poder, e sim de força.

Vocês sabem que a diferença entre a ordem humana, a ordem física e a ordem biológica (para usar expressões de Merleau-Ponty) decorre do fato de que as duas últimas são ordens de presença, enquanto a primeira opera com a ausência. As leis físicas se referem às relações atuais entre coisas; as normas biológicas se referem ao comportamento adaptativo com que o organismo se relaciona com o que lhe é presente; mas a ordem humana é a do simbólico, ou seja, da capacidade para relacionar-se com o ausente.

É o mundo do trabalho, da história e da linguagem. Somos humanos porque o trabalho nega a imediatez da coisa natural, porque a consciência da temporalidade nos abre para o que não é mais (o passado) e para o que ainda não é (o futuro), e porque a linguagem, potência para presentificar o ausente, ergue-se contra nossa violência animal e o uso da força, inaugurando a relação com o outro como intersubjetividade.

Num belíssimo ensaio sobre "A experiência limite", Maurice Blanchot marca o lugar preciso em que emerge a violência na tortura de um ser humano. A violência não está apenas nos suplícios físicos e psíquicos a que é submetido o torturado; muito mais profundamente ela se encontra no fato horrendo de que o torturador quer forçar o torturado a lhe dar o dom mais precioso da sua condição humana: uma palavra verdadeira. NÃO FALO.

Vocês já leram La Boétie.[2] Sabem que a servidão voluntária é o desejo de servir os superiores para ser servido pelos inferiores. É uma teia de relações de força, que percorrem verticalmente a sociedade sob a forma do mando e da obediência. Mas vocês se lembram também do que diz La Boétie da luta contra a servidão voluntária: não é preciso tirar coisa alguma do dominador; basta não lhe dar o que ele pede. NÃO FALO.

A liberdade não é uma escolha entre várias possíveis, mas a fortaleza do ânimo para não ser determinado por forças externas e a potência interior para determinar-se a si mesmo. A liberdade, recusa da heteronomia, é a autonomia. Falarei quando minha liberdade determinar que é chegada a hora e a vez de falar.

Anexo

Desconfiança saudável[3]

Num primeiro momento, não houve como não se deixar levar pela celebração promovida pelos meios de comunicação quanto ao caráter historicamente sem igual da transição de governo, encetada pelo presidente da república em exercício. Depois, também não houve como deixar de fazer uma reflexão sombria: que triste um país no qual uma disposição constitucional – transmitir um cargo de governo – é celebrada como se dependesse da vontade pessoal do governante

[2] Em *Contra a servidão voluntária*, primeiro volume desta série, Marilena Chaui acompanha a reflexão política do francês Étienne de La Boétie para tentar compreender a paradoxal experiência humana da servidão voluntária. (N.E.)

[3] Originalmente publicado em: *Folha de S.Paulo*, Opinião, 08 dez. 2002.

e não da lei. Chegados a esse ponto, não teve jeito: "caiu a ficha", como se costuma dizer.

De fato, todos os que conhecem FHC sabem que ele não dá ponto sem nó. É um traço marcante de sua personalidade, frequentemente elogiado como tino político. O caso é que, por isso mesmo, a celebração da transição como gesto grande do estadista "não cola". Mesmo porque não há como esquecer um fato político recente, que não possui a menor grandeza democrática: a presidência da república propôs e implantou mudanças nas regras eleitorais quando a campanha eleitoral já estava iniciada.

Pode-se imaginar que a transição proposta por FHC tenha ares de um acontecimento democrático ímpar, que deixará nos anais da história brasileira sua figura como estadista exemplar. Mas FHC é moço o bastante para não se contentar em aguardar uma longínqua consagração pela história. Ele prepara um futuro político próximo.

Donde duas perguntas merecem ser feitas: 1) se, como diz FHC, o PT o atormentou e azucrinou durante oito anos (e FHC pede ao PSDB que não faça isso com Lula) e 2) se FHC está dando os pontos numa costura que envolve seus planos políticos futuros, por que essa transição?

No que respeita à primeira pergunta, é óbvio que a afirmação sobre o poderio do PT é descabida, pois FHC foi eleito por uma aliança que lhe assegurou maioria no Congresso e sempre lhe permitiu negociar com os vários partidos (das mais variadas maneiras) de modo a aprovar praticamente todos os projetos, tanto os apresentados inicialmente sob a forma de medidas provisórias como os outros de tramitação regular pelo Congresso. Minoritário, o PT nunca teve condições objetivas para atrapalhar o presidente da república, ainda que pudesse aborrecê-lo (houve momentos em que, perdendo a paciência, altaneiro, referiu-se à oposição como caipira, atrasada e boboca). Portanto, sob a aparência de uma convocatória à moderação do PSDB, a declaração presidencial tem uma finalidade precisa: promover a imagem do PT como sectário. Não é outra, aliás, a finalidade de sua explicação de que não há fome no Brasil, de sorte que esta pareça uma invencionice populista do presidente eleito e de seu partido.

No que respeita à segunda pergunta, a resposta também é clara: FHC quer sair ileso do governo e assegurar um bom futuro político para si. A crise econômica é grave e a inflação está batendo freneticamente à porta, além de tudo que ainda ignoramos que se passa nas salas secretas do poder. Que faz FHC? Inventa a transição de tal maneira que, enquanto ainda é o presidente da república e ainda está governando, antecipa a imagem de Lula como presidente e a sua como ex-presidente (tanto assim, que vai viajar mundo afora nos próximos dias), de modo que o ônus da crise criada por seu governo recaia sobre Lula e o PT. Tudo caminhando como previsto, FHC sairia triunfante e Lula entraria já desgastado.

Sem dúvida, Lula, a direção do PT e a equipe de transição sabem disso melhor do que nós e não se deixarão iludir pelas aparências. Mas não custa a gente começar a deixar público que ninguém está tomando gato por lebre, pois, como diz o ditado, seguro morreu de velho e desconfiado ainda está vivo.

A disputa simbólica[4]

Em política, há duas grandes disputas: a definidora da própria política, isto é, a disputa pelo poder; e a disputa simbólica, isto é, pela ocupação de um lugar onde se reconheça uma imagem definida por valores postos pela sociedade.

Do ponto de vista simbólico, o PT, ao definir-se não como um partido *para* os trabalhadores e sim *dos* trabalhadores, ocupou o lugar definido pela criação e conservação de direitos civis e sociais dos economicamente explorados, socialmente excluídos e politicamente subalternos. Na disputa simbólica, o campo dos direitos ou da cidadania plena definiu a imagem do PT. Em outras palavras, o PT definiu o campo simbólico da democracia como formação social fundada na criação e conservação dos direitos e na legitimidade do trabalho dos conflitos, recusando a violência da força em nome da lógica política. Cidadania, igualdade e justiça desenharam a figura desse partido nascido dos movimentos sociais enquanto sujeito político novo.

Por sua vez, o PSDB definiu-se pela ideia de modernidade, entendida como adequação do Brasil à nova forma mundial do capitalismo. Por isso, a modernidade veio acrescida de duas outras ideias:

[4] Originalmente publicado em: *Folha de S.Paulo*, Tendências/Debates, 18 fev. 2004.

responsabilidade – para enxugar o Estado – e competência – para fazer o ajuste fiscal, exigido pelo FMI e pelo Banco Mundial. Simbolicamente, o PSDB é o partido de "gente séria e responsável que entende de política".

Historicamente, porém, a disputa simbólica recebeu um acréscimo. De fato, a oposição ao governo Collor introduziu o tema da ética na política, e as circunstâncias (a concepção da probidade pública, defendida pelos militantes e presente na a atuação exemplar dos parlamentares e prefeitos petistas) fizeram com que esse lugar simbólico também fosse ocupado pelo PT. No entanto, contrariamente à imagem do partido dos direitos, a do partido ético não se firmou sem obstáculos, porque é disputada também pelo PSDB.

É essa disputa que reaparece agora, com o estardalhaço de acusações (sem quaisquer provas) sobre um possível envolvimento do ministro da Casa Civil, José Dirceu, com Waldomiro Diniz sobre os fundos da campanha presidencial. As acusações silenciam e dissimulam o fato de que o sistema eleitoral brasileiro força todos os partidos e todos os candidatos a ocultar as fontes de recursos e o total dos gastos de campanha.

É na disputa pela imagem da ética na política que o PT e o governo Lula estão sendo questionados, tanto pelos próprios petistas como pelas oposições políticas e pelos meios de comunicação enquanto formadores de opinião. Em vez da acusação, uma verdadeira atitude democrática é colocar para a opinião pública a necessidade de uma reforma política.

Em prol da reforma política[5]

Entre muitas falhas institucionais, as do sistema de representação e do financiamento de campanhas justificam a urgência de uma reforma política.

No final da ditadura, quando o MDB poderia superar a ARENA com maioria parlamentar, o problema foi resolvido conseguindo novos parlamentares arenistas, entre outros meios, pela transformação dos

[5] Originalmente publicado em: *Folha de S.Paulo*, Tendências/Debates, 11 mar. 2004.

territórios em estados e pela criação de novos estados com o desmembramento de alguns existentes. A seguir, o sistema partidário e eleitoral levou à distorção da representação tanto pela super-representação dos estados recém-criados como pela proliferação de partidos artificiais ou de aluguel. O resultado tem sido a impossibilidade de o partido vitorioso no executivo conseguir eleger uma maioria parlamentar, ficando às voltas com o chamado "problema da governabilidade". Este acaba levando ou a alianças partidárias artificiais (que desagradam a todos os representados) ou, quando tal não ocorre, à distorção de uma prática própria da democracia parlamentar, isto é, a negociação entre executivo e legislativo ("concedo x desde que você conceda y"). Passa-se da negociação ao negócio, isto é, à corrupção por meio da compra de votos parlamentares. A CPI, instrumento essencial da moralidade pública, tem-se mostrado inócua neste ponto, porque atinge indivíduos, e não o sistema, o efeito, e não a causa.

Por sua vez, o financiamento privado das campanhas eleitorais acarreta pelo menos três graves improbidades públicas: a) desinformação social, pois candidatos e partidos publicam gastos que não correspondem à realidade; b) segredo, pois candidatos e partidos, à margem de seus programas e compromissos públicos, se comprometem com interesses privados dos financiadores, favorecendo os economicamente poderosos às custas dos direitos das outras classes sociais; c) possibilidade de enriquecimento ilícito dos que se apropriam privadamente dos fundos de campanha.

Além de corrigir essas falhas (e muitas outras), uma reforma política republicana e democrática também terá como efeito mudar a forma da discussão sobre a relação entre ética e política, pois nisso costumamos deslizar para uma atitude paradoxal porque pré e pós-moderna ao mesmo tempo.

A concepção pré-moderna da política considera o governante não como representante dos governados, mas de um poder mais alto (Deus, a Razão, a Lei, a Humanidade, etc.), que lhe confere a soberania como poder de decisão pessoal e único. Para ser digno de governar, o dirigente deve possuir um conjunto de virtudes que atestam seu bom caráter, do qual dependem a paz e a ordem. O governante virtuoso é um espelho no qual os governados devem refletir-se, imitando suas virtudes – o espaço público é idêntico ao espaço privado das pessoas de boa conduta, e a corrupção é atribuída ao mau caráter ou aos vícios do dirigente. Por isso criticam-se os vícios do tirano e nunca se examina a tirania como instituição política.

A concepção pós-moderna aceita a submissão da política aos procedimentos da sociedade de consumo e de espetáculo. Torna-se indústria política e dá ao marketing a tarefa de vender a imagem do político e reduzir o cidadão à figura privada do consumidor. Para obter a identificação do consumidor com o produto, o marketing produz a imagem do político enquanto pessoa privada: características corporais, preferências sexuais, culinárias, literárias e esportivas, hábitos cotidianos, vida em família, bichos de estimação. A privatização das figuras do político e do cidadão privatiza o espaço público. Por isso a avaliação ética dos governos não possui critérios próprios a uma ética pública e se torna avaliação das virtudes e dos vícios dos governantes; e, como no caso pré-moderno, a corrupção é atribuída ao mau caráter dos dirigentes, e não às instituições públicas.

A concepção moderna funda-se na distinção entre o público e o privado – portanto, na ideia de república – e volta-se para as práticas da representação e da participação – portanto, para a ideia de democracia. O exemplo mais contundente da concepção moderna pode ser encontrado na abertura de um texto clássico, o "Tratado Político", de Baruch Espinosa.

Todos os que até então escreveram sobre a política, diz ele, nada trouxeram de útil para a prática por causa do moralismo, que os faz imaginar uma natureza humana racional, virtuosa e perfeita e execrar os seres humanos reais, tidos como viciosos e depravados (porque movidos por sentimentos ou paixões). Tais escritores, "quando querem parecer sumamente éticos, sábios e santos, prodigalizam louvores a uma natureza humana que não existe em parte alguma e atacam aquela que realmente existe".

Ora, prossegue Espinosa, por natureza, e não por vício, os seres humanos são movidos por paixões, impelidos por inveja, orgulho, cobiça, vingança, maledicência, cada qual querendo que os demais vivam como ele próprio. Mas também são impelidos por paixões de generosidade e misericórdia, amizade e piedade, solidariedade e respeito mútuo. Pretender, portanto, que, na política, se desfaçam das paixões e ajam seguindo apenas os preceitos da razão "é comprazer-se na ficção".

Por conseguinte, um Estado cujo bem-estar, cuja segurança e cuja prosperidade dependam da racionalidade e das virtudes pessoais de alguns dirigentes é "um Estado fadado à ruína". Para haver paz, segurança, bem-estar e prosperidade "é preciso um ordenamento institucional que obrigue os que administram a república, movidos quer pela razão, quer pela paixão, a não agir de forma desleal ou contrária ao interesse geral". Pouco importam os motivos interiores dos administradores públicos; o que importa é que as instituições os obriguem a bem administrar. Virtudes e vícios do Estado não são virtudes e vícios privados dos dirigentes e dos cidadãos, mas virtudes públicas, isto é, a qualidade das instituições, ou vícios públicos, isto é, deficiências institucionais. Assim, a crítica moralizante à corrupção cede lugar à crítica cívica das instituições, isto é, à moralidade pública.

Quando falamos em reforma política, é disso que estamos falando.

Cibercultura e mundo virtual

Filosofia, ciência e o corpo vivido

No final da primeira metade do século XX, Maurice Merleau-Ponty escreveu *Fenomenologia da percepção*. Nessa obra o filósofo retomava uma questão que tem ocupado praticamente toda a história da filosofia, qual seja, a relação entre alma e corpo, consciência e mundo, homem e natureza. Merleau-Ponty recusava a separação entre a alma e o corpo, entre a consciência e o mundo ou entre sujeito e objeto, separações que dominavam a filosofia e a ciência. A filosofia identificava a realidade com as ideias postas pelo sujeito do conhecimento, caindo no subjetivismo; a ciência identificava a realidade com os objetos construídos por ela, caindo no objetivismo.

O filósofo considerava que esses dois erros rivais eram obstáculos a um diálogo efetivo entre a filosofia e a ciência, a primeira acreditando dominar o real por meio das ideias, a segunda imaginando agarrá-lo por meio dos fatos. Assim, a *Fenomenologia da percepção* propunha "uma concepção alargada da razão", capaz de ultrapassar a miopia do dualismo epistemológico. Graças a uma filosofia fundada na ideia de *encarnação*, isto é, da imanência entre corpo e espírito, centrada na noção do corpo humano como *corpo cognoscente*, de cuja sensibilidade e motricidade nascem para nós o espaço, o tempo, o desejo, a linguagem, a intersubjetividade, o pensamento e a liberdade, a *Fenomenologia da percepção* recusava a cisão entre o espírito e o corpo, e entre a consciência e o mundo, desfazendo a arrogância filosófica da Subjetividade Pura e o privilégio cientificista da Objetividade Pura.

Contra o subjetivismo filosófico e o objetivismo científico, Merleau-Ponty dizia: não somos consciência cognitiva pura, mas uma consciência encarnada num corpo; e nosso corpo não é um objeto descrito pelas ciências, mas um corpo humano, isto é, habitado e animado por uma consciência. Não somos pensamento puro, pois também somos um corpo; não somos uma coisa, pois também somos uma consciência. O mundo não é um conjunto de coisas e fatos estudados pelas ciências segundo relações causais e funcionais; além do mundo como conjunto racional de fatos científicos, há o mundo como lugar onde vivemos com os outros e rodeados pelas coisas, mundo qualitativo de cores, sons, odores, figuras, fisionomias, obstáculos, caminhos, distâncias e proximidades, mundo afetivo de pessoas e lugares, de lembranças, promessas, esperanças, conflitos, lutas.

Somos seres temporais: nascemos e temos consciência do nascimento e da morte; temos a memória do passado e a esperança do futuro, pois somos seres que fazem a história e sofrem os efeitos da história.

Somos seres espaciais: para nós o mundo é feito de lugares – o perto e o longe, o caminho e a mata, a cidade e o campo, a terra e o céu, o mar e a montanha; é feito de dimensões: o grande e o pequeno, o maior e o menor; e é feito de qualidades: cores, sabores, tessituras, odores, sons.

O que é nosso corpo?

A física dirá que é um agregado de átomos, uma certa massa e energia, que funciona de acordo com as leis gerais da natureza; a química acrescentará que é feito de moléculas de água, oxigênio, carbono, de enzimas e proteínas, funcionando como qualquer outro corpo químico. A biologia dirá que é um organismo vivo, um indivíduo membro de uma espécie (animal, mamífero, vertebrado, bípede), capaz de adaptar-se ao meio ambiente por operações e funções internas, dotado de um código genético hereditário e que se reproduz sexualmente; e a psicologia acrescentará que é um feixe de carne, músculos, ossos, que formam aparelhos receptores de estímulos e emissores de respostas, por meio dos quais apresenta comportamentos observáveis. Essas respostas dizem que nosso corpo é uma coisa entre as coisas, uma máquina ou um autômato, cujas operações são observáveis direta ou indiretamente, podendo ser examinado em seus mínimos detalhes nos laboratórios, classificado e conhecido.

Merleau-Ponty indaga: será isso o corpo que é *nosso*?

Meu corpo é um ser visível no meio dos outros seres visíveis, mas tem a peculiaridade de ser um visível vidente: vejo, além de ser vista. Não só isso. Posso me ver, sou visível para mim mesma. E posso me ver vendo.

Meu corpo é um ser táctil como os outros corpos, podendo ser tocado, mas também tem o poder de tocar, é tocante. E é capaz de tocar-se.

Meu corpo é sonoro como os cristais e os metais, podendo ser ouvido, mas também tem o poder de ouvir. Mais do que isso, pode fazer-se ouvir e pode ouvir-se quando emite sons. Ouço-me falando e ouço quem me fala. Sou sonora para mim mesma.

Meu corpo é móvel e dotado do poder de mover – é um movente. Móvel movente, o corpo tem o poder de mover-se movendo – é móvel movente para si mesmo.

Meu corpo não é coisa nem máquina, não é feixe de ossos, músculos e sangue nem uma rede de causas, efeitos e funções, não é um receptáculo para uma alma ou para uma consciência: meu corpo é sensível para si e é meu modo fundamental de ser e estar no mundo.

Meu corpo estende a mão e toca outra mão em outro corpo, vê um olhar, percebe uma fisionomia, escuta outra voz: sei que diante de mim está um corpo que é meu outro, um outro humano habitado por consciência, e eu o sei porque ele me fala, e, como eu, seu corpo produz palavras, sentido. Os corpos formam uma intercorporeidade e, porque são habitados pela consciência ou são consciências encarnadas, formam a intersubjetividade.

Enlaçado no tecido do visível, o corpo continua a se ver; atado ao tangível, continua a se tocar; movido no tecido do movimento, não cessa de mover-se. Sentindo-se sentir, o corpo *reflexiona* e ensina à consciência o que é a reflexão.

Massa sensível e sensorial segregada na massa de um mundo sensorial, nosso corpo é misterioso, e esse mistério corporal é atestado pela experiência criadora dos artistas. A criação é a experiência de uma diferenciação ou de uma separação no interior da indivisão: a experiência criadora do pintor e do escultor se efetua como aquele momento em que um visível (o corpo do pintor ou do escultor) se faz vidente sem sair da visibilidade, e um vidente se faz visível (o quadro e a escultura) sem sair da visibilidade; a experiência criadora do músico é o momento em que um ouvinte (o corpo do músico) se faz sonoro sem sair da sonoridade, e um sonoro (a música) se faz audível sem sair da sonoridade; a experiência do escritor e do poeta é o momento em que um falante (o corpo do poeta e do escritor) se faz dizível sem abandonar a linguagem, e um dizível (o poema ou o livro) se faz falante sem sair da linguagem.

Que se passa, porém, quando a espacialidade e a temporalidade de nosso corpo e de nossa experiência se perdem na atopia (ausência de lugares ou de espaço) e na acronia (ausência de tempo), próprias do mundo virtual?

A mudança de paradigma no conhecimento

Vimos,[1] com Adam Schaff, que houve a revolução informática. Vimos como ela opera no caso da internet e da multimídia. Vimos também, com David Harvey,[2] que a nova forma do capital, ao ser determinada pelo capital financeiro, desagrega e fragmenta o universo do trabalho produtivo. Vimos, enfim, com Garcia dos Santos,[3] que o capital global opera com uma única mercadoria, a informação. Esta evidentemente não é entendida como um processo de comunicação, e sim como transmissão e recepção de signos ou de sinais sem base material. Ora, a informação se tornou também o paradigma do conhecimento científico.

Podemos nos aproximar do significado da ideia de informação se fizermos uma breve comparação entre o antigo objeto técnico – a máquina – e o objeto técnico atual – o autômato.

Até o advento do capitalismo, a técnica era a aplicação regrada de receitas para o uso de um pequeno número de instrumentos para a fabricação de utensílios, vestuário e armamentos, para a construção de edifícios, embarcações, etc. O conhecimento exigido, ainda que

[1] Cf. anteriormente o ensaio "Simulacro e poder: uma análise da mídia".

[2] *Idem.*

[3] *Idem.*

pudesse envolver cálculos e medidas, era um conhecimento prático, adquirido com a experiência e transmitido do mestre ao aprendiz, e não um conhecimento teórico ou científico.

A partir da Revolução Científica do século XVII, porém, surge a *tecnologia*, isto é, o objeto técnico como resultado do conhecimento científico, e não como produto da experiência e da inventividade de artesãos.

Descrevendo o telescópio, Galileu declara que sua construção resultou da aplicação das leis ópticas da refração na fabricação das lentes, ambas planas, mas uma delas com uma face convexa e a outra com uma face côncava, cuja precisão é indispensável, pois além de aproximar os objetos, devem permitir vê-los "sem nenhuma nebulosidade" e "sem nenhuma deformação". Assim, o telescópio é um objeto tecnológico, ciência encarnada nas coisas.

O objeto tecnológico pressupõe: 1. a ideia de que o verdadeiro conhecimento não é contemplação teórica, e sim intervenção prática para dominar a natureza; 2. a afirmação de que é destinado a resolver problemas práticos em todos os domínios da atividade humana; 3. a afirmação de que os objetos técnicos são *projetos* para a construção de máquinas concebidas como instrumentos de precisão, porque são produto da ciência, e instrumentos para o desenvolvimento da própria ciência, pois seu uso científico altera o conhecimento científico da realidade, uma vez que são instrumentos para fornecer dados quantitativos e qualitativos sobre a realidade (como foi o caso, por exemplo, do telescópio e do microscópio).

Como sabemos, durante a primeira e a segunda revoluções industriais, os objetos tecnológicos ampliaram a força do corpo humano e o estenderam no espaço (primeiro, com o telescópio, o microscópio e a máquina a vapor, depois, com as máquinas elétricas, o telégrafo, o telefone, o rádio, o cinema e a televisão). Agora, porém, os objetos tecnológicos ampliam as forças intelectuais humanas, pois são objetos que dependem de informações e operam com informações. Agora, é nosso cérebro ou nosso sistema nervoso central que se expande sem limites, diminuindo distâncias espaciais e intervalos temporais até abolir o espaço e o tempo.

Do ponto de vista dos objetos técnicos, estamos diante da passagem do maquinismo ao automatismo.

Nas primeira e segunda revoluções industriais, a técnica foi pensada e praticada como *maquinismo*. A máquina se torna a condição de todos os outros objetos técnicos e o paradigma da racionalidade técnica, porque é o exemplo de causalidades controladas, continuidades seguras e concatenações bem-sucedidas. A máquina uniformiza e regulariza o trabalho, retifica, regulariza e amplifica os gestos do trabalhador.

A partir do século XIX, a máquina, além de ser um utensílio ou instrumento, também se torna capaz de produzir novas máquinas, abrindo o campo para o surgimento do automatismo, cuja finalidade é substituir um agente vivo nas funções de execução, comando, vigilância e controle. O autômato não imita o ser vivo (como nas imagens antropomórficas dos robôs), mas o substitui.

O autômato é um objeto tecnológico cujas principais características são: 1. realiza ações que implicam pensamento, isto é, linguagem, pois *opera por informação e comunicação da informação*, graças à codificação legível ou compreensível para a máquina, que se torna capaz de estabelecer relações entre as suas funções, agindo sobre si mesma; ou seja, as operações são sistemas de sinais codificados sob a forma de *programas* matemáticos ou formalizados em termos da lógica formal contemporânea e que funcionam como *mensagens*; 2. autorregulação: o instrumento é capaz de voltar-se sobre si mesmo para assegurar seu funcionamento correto, seu equilíbrio interno; 3. opera três tipos de comunicação: de movimento, de energia e de informação; 4. opera em diálogo com o mundo exterior e com o usuário, graças ao programa, visto que este é a recepção pela máquina de uma parte constante das informações que podem vir do mundo exterior e das instruções do usuário; 5. é uma *inteligência artificial.*

Ora, a ideia de informação não modifica apenas o objeto técnico. Ela altera o paradigma do conhecimento científico.

Os pensadores que trabalham com a noção de paradigma científico partem de dois pressupostos: o primeiro é que um paradigma científico se define a partir de uma determinada ciência hegemônica (ou o que o filósofo da ciência Thomas Khun chama de "ciência normal", isto é, a que determina as normas das pesquisas e normaliza todas elas); e o segundo, que há uma hierarquia das ciências, conforme se aproximem ou se distanciem da ciência paradigmática. Em suma, como a própria palavra "paradigma" indica, trata-se de um modelo cognitivo definido por uma ciência particular, cujos procedimentos são considerados universalizáveis, servindo como critério para decidir se um saber é ou não ciência e qual seu grau de cientificidade.

Se tomarmos como pista essa concepção, mas sem levar em consideração qual a ciência particular que, hoje, serve de paradigma para todas outras, e sim a categoria central que opera na construção da cientificidade, diremos que o paradigma do saber de Aristóteles até os meados do século XIX tinha como categoria determinante a ideia de *causalidade*, que definia uma realidade em termos de relações causais entre dois ou mais termos. Do final do século XIX até os anos 1970 aproximadamente, a cientificidade teve como categoria determinante a ideia de *organismo* ou de *estrutura*, balizada pelos conceitos de função, norma, conflito, sentido e sistema. Hoje, porém, a categoria dominante é a *informação*. A categoria da causalidade operava com o par substância-indivíduo; a do organismo-estrutura, com a ideia de integração funcional das partes de um todo; a da informação opera com a de processo informativo. As categorias da causalidade, do organismo e da estrutura concebiam seus objetos como totalidades que determinam as características e propriedades de um indivíduo; em contrapartida, a categoria da informação opera com a fragmentação e a dispersão de sinais reunidos pela operação de codificação.

A título de ilustração, tomemos uma passagem de um ensaio de Luis Alberto Oliveira, cosmólogo brasileiro, que escreve:

> Os conceitos basilares não mais são o venerando par substância-indivíduo, e sim *informação e processo*. O mundo consiste não em uma coleção de seres formados *a priori*, mas de uma conjunção de seres em contínua e interminável *formatação*. Fluxos materiais relacionam-se, combinam-se, coagulam-se, às vezes cristalizam-se, adquirindo um certo desenho, sustentando uma certa forma por um certo período, mas o fluir insiste, persiste, em pouco o nódulo se desfaz e as matérias que o compunham participarão de outros seres. Não uma única ocasião produtiva, mas o próprio *processo* contínuo e interminável de fabricação, de individuação [...] Uma vez destituída a figura do indivíduo finalizado como entidade primeira do existir, em favor dos processos de individuação, precisamos introduzir um outro substrato básico a partir do qual se possa dar conta da

> formação do mundo natural [...] Esse novo conceito basilar será o *átomo de informação*, que batizaremos de *bit*.[4]

O primeiro aspecto a destacar é o abandono da ideia de indivíduo como ponto inicial ou ponto final de um processo causal em que uma causa externa produz um ser individual ou uma parte dele para relacioná-lo causalmente com outros ou como ponto final de um conjunto de relações funcionais que individualizam os componentes de um todo e determinam suas relações com os outros componentes. A noção de indivíduo é, agora, substituída pela ideia de *processo de individuação*, em que um indivíduo é uma *fase do ser*, e não uma realidade primeira ou última. Donde a desaparição da ideia de substância, que era o princípio de individuação e determinava a relação entre o todo e a parte.

O segundo aspecto a destacar é a introdução da ideia de *átomo de informação*. Oliveira propõe imaginarmos um *shopping center* em que todos os sinais identificadores de cada loja tivessem sido removidos, de tal maneira que não teríamos como diferenciá-los.

> É necessária a presença de uma rede de sinalização, cuja função é precisamente a de romper a simetria (a indistinguibilidade) de módulos essencialmente idênticos, introduzindo distinções que não alteram a natureza desses módulos, mas suportam capacidades suplementares, como filtragem, especialização, e competição. Sinalizar é apor um signo que orienta um fluxo; é distribuir bandeiras que assinalam os marcos em um território e permitem a interconexão entre eles. A sinalização, contudo, não opera somente criando pertencimentos e identificações, mas principalmente constituindo diferenciações: ali onde reina a homogeneidade, a indistinção, a sinalização instaura um diagrama de diferenças que pode suportar uma nova estrutura, uma nova heterogeneidade. A sinalização é um dos dispositivos que caracterizam os sistemas complexos e sua hierarquia de agentes e meta-agentes. [...]. Estruturar é assim, antes de mais nada, diferençar. Por outro lado, podemos assimilar o conceito de diferença (e, portanto, também o de estrutura) ao de informação. Sinais são portadores de uma diferença, uma figura que se destaca

[4] OLIVEIRA, Luiz Alberto. Biontes, biodes e borgues. In: NOVAES, Adauto (Org.). *O homem máquina*. São Paulo: Companhia das Letras, 2003.

> de um fundo; a informação é uma medida da incerteza desse grau de diferenciação entre o sinal e seu substrato, pois sem tal heterogeneidade o sinal não poderia encerrar um conteúdo, um significado. *A noção de informação é interessante porque ela prescinde de qualquer suporte particular: quer se trate da geometria de um cristal, ou da sequência de bases numa molécula de DNA ou dos circuitos de um microchip, temos sempre fluxos de informação operando uns sobre os outros, sintetizando-se, fragmentando-se, recombinando-se sem cessar. É possível assim conceber um terceiro tipo de átomo, o átomo de informação, uma unidade elementar de diferença ou distinção que podemos denominar de bit;* [...] estudar as propriedades de um sistema não é outra coisa que analisar seus modos de organização; logo, fluxos materiais são equivalentes a fluxos de informação.[5]

Assim, um terceiro aspecto a destacar é a afirmação da indistinção entre natureza e cultura a partir da indistinção entre matéria, vida e pensamento:

> A observação decisiva é que progressivamente, e cada vez mais, diluem-se as distinções clássicas entre matéria, vida e pensamento. Anteriormente se poderia dizer que a tecnologia é uma ferramenta para o espírito, residente na dimensão interna da subjetividade, agir sobre a natureza que lhe é exterior. Hoje, contudo, ocorre uma internalização da ação técnica, como se a tecnologia se rebatesse sobre seu agente, como se o espírito se dobrasse sobre si mesmo e se autoafetasse. Na medida em que uma ação externa se rebate e engolfa seu próprio executor, resta abolida a suposta separação clara entre o interno e o externo, e entre sujeito e objeto, e entre ente e artefato. [...] Esse fato é verdadeiramente crucial, porque ao nos tornarmos capazes de atuar nessas microescalas elementares, fundamentais para a constituição de todos os seres, estamos realizando uma sobreposição de ritmos: os lentos andamentos da natureza se veem recobertos pelos rapidíssimos movimentos da cultura.[6]

Essa indistinção entre os ritmos da natureza e os ritmos da cultura traz as três grandes promessas da tecnologia do século XXI:

[5] *Ibidem*, p. 164, grifos meus.

[6] *Ibidem*, p. 167.

> As três grandes promessas de inovação tecnológica para o século XXI, a saber, a *robótica* (a produção de sistemas capazes de comportamento autônomo), a *biotecnologia* (a manipulação dos componentes dos seres vivos, incluindo seu código genético) e a *nanotecnologia* (a fabricação de dispositivos moleculares), têm como fundamento comum a crescente capacidade de manipular objetos infinitesimais; contudo, seus campos de aplicação incluem, decididamente, desde a partida, nossos próprios corpos e espíritos. *Estamos a caminho de poder redesenhar a forma humana.*[7]

O redesenho da forma humana decorre da capacidade técnico-científica de manipular os objetos em escala molecular (a nanotecnologia), levando a uma integração crescente entre componentes orgânicos, gerados biologicamente, e componentes eletrônicos, fabricados artificialmente, de maneira a combinar os dispositivos orgânicos (motores, sensórios e cognitivos) de que somos biologicamente dotados e próteses de sensibilidade e de inteligência que nos permitem, por exemplo, navegar no info-oceano estabelecido pela rede mundial integrada de computadores e telecomunicações. O que é exatamente essa combinação que redesenha a forma humana? Uma síntese de carbono (nosso organismo) e silício (de que são feitas as próteses), uma mescla de "terminais nervosos orgânicos e semicondutores". Numa palavra: a perspectiva é a de que nosso futuro seja "*nos tornarmos borgues, híbridos de células e chips*", e num momento já próximo "veremos o nascimento de *autênticos híbridos biotrônicos*, veremos o nascimento de centauros cognitivos, e logo esses centauros seremos nós".[8]

Mundo virtual e cibercultura

Precisamos, agora, reunir essas mudanças técnico-científicas à nossa questão sobre o que acontece quando passamos da experiência de nosso corpo a esse universo informacional, ou melhor, ao mundo da informação como puro fluxo de sinais, isto é, ao mundo virtual.

[7] *Ibidem*, p. 168.

[8] *Ibidem*, p. 169.

Sabemos que uma das consequências da nova forma de acumulação do capital (a chamada globalização) foi a transformação sem precedentes em nossa na experiência do espaço e do tempo, designada por David Harvey como a "compressão espaçotemporal". A fragmentação e a globalização da produção econômica engendram dois fenômenos contrários e simultâneos: de um lado, a fragmentação e dispersão espacial e temporal da produção, e, de outro, sob os efeitos das tecnologias eletrônicas, a compressão do espaço ou a *atopia* – tudo se passa aqui, sem distâncias, diferenças nem fronteiras – e a compressão do tempo ou a *acronia* – tudo se passa agora, sem passado e sem futuro.

A atopia e a acronia como formas da experiência contemporânea são indissociáveis do surgimento de um mundo novo, o *mundo virtual*, desprovido de espessura espacial e temporal, no qual nosso corpo, perdendo todas as características e dimensões que Merleau-Ponty descrevera, se reduz, de um lado, à percepção visual de imagens planas e fugazes, e, de outro, à atividade de manipulação e controle de operações e sinais propostos pelos programas ou autômatos.

Que significa virtual? Para melhor compreendermos esse conceito, retomemos por um momento a distinção entre virtual e possível. Na tradição filosófica, o possível é aquilo que pode vir a existir se houver um agente ou uma circunstância que o façam passar à existência; por sua vez, o real é o que existe efetivamente. Também na tradição filosófica, tendia-se a identificar o possível e o virtual (a semente é a árvore virtual ou a árvore possível), isto é, considerava-se o possível e o virtual como potencialidades latentes que poderiam vir à existência. Na perspectiva da tradição, uma expressão como *realidade virtual* é um não senso, pois o virtual é irreal, é um mero possível ainda inexistente. A revolução informática e a cibernética, porém, modificaram o conceito de virtual: o virtual já é real e já existe, não se opõe ao real, e sim ao atual. Agora, entende-se por virtual algo real e existente que aguarda uma atualização; é aquilo que pode ser infinitamente atualizado. O virtual é o que não pode ser determinado por coordenadas espaciais e temporais, pois ele existe sem estar presente num espaço ou num tempo determinados, ou seja, para ele a atopia e a acronia são seu modo próprio de existência. No mundo virtual, a atualização é a relação dos indivíduos humanos com sistemas informacionais. A virtualização dispensa aquilo que sempre foi o núcleo da experiência humana: a presença, substituída, agora, pela operação de redes de comunicação ou processos de coordenação atópicas e acrônicas.

Com o virtual surge a chamada *cibercultura*.

> A cibercultura encontra-se ligada ao virtual de maneira direta e indireta. Diretamente: no centro das redes digitais, a informação certamente se encontra fisicamente situada em algum lugar, em determinado suporte, mas ela também está virtualmente presente em cada ponto da rede onde seja pedida. [...] Um mundo virtual – considerado como um conjunto de códigos digitais – é um potencial de imagens, enquanto uma determinada cena, durante uma imersão no mundo virtual, atualiza esse potencial em um contexto particular de uso. Indiretamente: o desenvolvimento das redes digitais interativas favorece outros movimentos de virtualização que não o da informação propriamente dita. [...] *O ciberespaço encoraja um estilo de relacionamento quase independente dos lugares geográficos e da coincidência dos tempos.* [...] as particularidades técnicas do ciberespaço permitem que os membros de um grupo humano (que podem ser tantos quantos se quiser) se coordenem, cooperem, alimentem e consultem uma memória comum, e isto quase em tempo real, apesar da distribuição geográfica e da diferença de horários.
>
> [...] a extensão do ciberespaço acompanha e acelera uma virtualização geral da economia e da sociedade. [...] Os suportes de inteligência coletiva do ciberespaço multiplicam e colocam em sinergia as competências. Do design à estratégia, os cenários são alimentados pelas simulações e pelos dados colocados à disposição pelo universo digital [...] o ciberespaço é o vetor de um universo aberto, a dilatação de um *espaço universal*.[9]

Destaquemos, em primeiro lugar, a afirmação de que "o ciberespaço encoraja um estilo de relacionamento quase independente dos lugares geográficos e da coincidência dos tempos" e que "a extensão do ciberespaço acompanha e acelera uma virtualização geral da economia e da sociedade". Ou seja, encoraja a atopia e a acronia.

Destaquemos, em segundo lugar, a declaração de que existe outro espaço ou um espaço outro, o ciberespaço, e que este "é o vetor de um universo aberto, a dilatação de um espaço universal". Ora, uma vez que

[9] LÉVY, Pierre. *Cibercultura*. Rio de Janeiro: Editora 34, 1999. p. 50-51, grifos meus.

esse espaço universal será sem lugares e sem tempos, nele nosso corpo como espacialidade e temporalidade vivas não tem presença alguma. A atopia e acronia do mundo virtual significam, ao fim e ao cabo, um processo ilimitado de *desincorporação* dos seres humanos.

Não é, portanto, de causar surpresa o fato de que muitos dos idealizadores e defensores do ciberespaço a ele se refiram significativamente como espaço *desincorporado e espiritual*, possibilidade, segundo alguns, de nos transformarmos em seres de pura luz, livres da brutalidade e do caos próprios de nossos corpos, livres do espaço e do tempo, novos anjos de um novo paraíso terrestre no qual, evidentemente, não haverá morte porque podemos fazer o *upload* e o *download* de nossas mentes para computadores e, transcendendo a materialidade, viver para sempre no espaço digital.

Como se percebe, estamos de volta ao nosso ponto de partida, isto é, ao clássico problema filosófico da relação entre corpo e alma, matéria e espírito, mundo e pensamento, natureza e cultura, de onde nascera a interrogação de Merleau-Ponty.

Ora, é interessante observar a oposição entre as duas atitudes predominantes no mundo contemporâneo. De fato, enquanto a cultura do ciberespaço propõe a desmaterialização do homem, sua transformação num ser de pura luz, sem espaço e sem tempo, por sua vez, a tecnociência toma a direção oposta, pois propõe a pura materialidade do espírito, ou seja, a indistinção entre cérebro e alma, cérebro e consciência, pois um borgue, um bionte ou um híbrido biotrônico é justamente a expressão mais completa dessa redução do humano à mescla de carbono e silício. Dessa maneira, nos vemos de volta a concepções primárias e reducionistas em que ou a mente e a consciência se reduzem à materialidade do cérebro ou então tudo se desincorpora em pura luz. Assim, do lado da chamada cibercultura, desenvolve-se um reducionismo espiritualista que nem mesmo o mais desenfreado filósofo idealista poderia imaginar; e do lado da tecnociência, em contrapartida, vemos erguer-se o reducionismo naturalista, que nem o mais feroz filósofo empirista poderia imaginar.

Este livro foi composto com tipografia Bembo e impresso
em papel Off-White 80 g/m² na gráfica Paulinelli.